J'ARRÊTE DE M'ÉPUISER !

Groupe Eyrolles

61, bd Saint-Germain
75240 Paris Cedex 05

www.editions-eyrolles.com

La collection « J'arrête de… » est dirigée par Anne Ghesquière, fondatrice du magazine FemininBio.com, pour mieux vivre sa vie !

Dans la même collection :

J'arrête de stresser !, Patrick Amar et Silvia André

J'arrête de (me) juger !, Olivier Clerc

J'arrête la malbouffe !, Marion Kaplan

J'arrête de râler !, Christine Lewicki

J'arrête de râler sur mes enfants (et mon conjoint) !,
   Christine Lewicki et Florence Leroy

J'arrête d'être débordée !, Barbara Meyer et Isabelle Neveux

J'arrête le superflu !, Joanne Tatham

Dessins originaux : Pacco

Création de maquette : Hung Ho Thanh

Mise en pages : STDI

Marlène Schiappa
Cédric Bruguière

J'ARRÊTE
DE M'ÉPUISER !

21 jours pour prévenir le burn-out

Quatrième tirage 2016

EYROLLES

Remerciements

J'arrête de m'épuiser s'inscrit dans la droite lignée des autres ouvrages de la collection. À ce titre, le programme a également bénéficié de l'expertise de sa directrice de collection, Anne Ghesquière.

Nous tenons à remercier l'équipe des éditions Eyrolles pour son accompagnement tout au long de l'écriture du livre, qui a permis de lui donner sa forme actuelle : Gwénaëlle Painvin pour avoir cru en ce projet et pour l'avoir mené à son terme avec l'enthousiasme et le professionnalisme qui la caractérisent, Sandrine Navarro pour le sérieux de son accompagnement, Valérie Mauriac pour la pertinence de ses corrections et ajouts.

Toute l'équipe a veillé avec bienveillance à la cohérence éditoriale du livre et à l'aspect pédagogique du programme en 21 jours, nous l'en remercions.

Que soient aussi remerciées ici celles qui nous ont mis sur ce chemin : Audrey Akoun et Isabelle Pailleau, Christine Lewicki, Sonia Bellouti, Audrey Etner.

Merci enfin à toutes les personnes qui ont accepté de nourrir ce livre de leurs témoignages et expertises, ainsi qu'aux membres du réseau « Maman travaille ».

Avertissement

Ce livre a été conçu comme un programme sur 21 jours, par un couple d'experts, Cédric Bruguière et Marlène Schiappa. Ils ont mené ensemble en 2013 une vaste étude statistique sur les difficultés liées à l'articulation des temps de vies professionnelle et personnelle. Dans le cadre des rencontres, journées et groupes de paroles « Maman travaille », ils ont écouté plusieurs milliers de mères. Le résultat est sans appel : 74 % sautent régulièrement des repas faute de temps et 63 % se déclarent en état d'épuisement. Marlène a alors décidé de s'adresser directement aux actifs et aux actives, dans le cadre d'ateliers de formation à la conciliation vie professionnelle/vie familiale dont une très large part est consacrée à la prévention de l'épuisement. Elle a reçu dans la construction de ses modules de formation l'appui et l'expertise de Cédric.

Grâce à leur écriture à quatre mains, Cédric apporte son expertise de la gestion de carrière, sa vision « entreprise », « management » et « employeur », et Marlène apporte, elle, son expérience personnelle de l'épuisement et sa compétence acquise autour des ateliers « Maman travaille ».

Si leurs visions de l'épuisement se rejoignent dans la construction commune des modules du programme, chacun d'eux a développé sa propre approche du sujet, selon sa sensibilité et son expérience personnelles. Ils se sont également entourés d'experts et de nombreux témoins.

Ce livre se destine aux personnes présentant des symptômes d'épuisement.

Les conseils rassemblés ici pourront faciliter la prise de conscience, permettront de se poser les bonnes questions et d'aider à construire une stratégie pour retrouver un rythme plus « normal ».

Toutefois, certaines situations d'épuisement nécessitent la consultation d'un professionnel de santé, comme par exemple en cas de burn-out sévère avec symptômes dépressifs, ou encore lorsque l'épuisement est un symptôme ou la résultante d'une maladie physiologique ou psychologique identifiée.

Sommaire

Avant-propos

L'épuisement, qu'est-ce que c'est ?

Un contexte difficile

Dans un environnement ultra-concurrentiel (les individus entre eux, les équipes entre elles, les entreprises entre elles, les pays entre eux, les monnaies entre elles, etc.), le syndrome des « personnes sans repos » s'étend de plus en plus. La peur de perdre son emploi, dans un contexte de crise économique où nul ne sait de quoi il vivra dans vingt ans (et pire, s'inquiète pour les générations à venir), la précarisation généralisée (la « sécurité de l'emploi » est bonne pour faire son entrée au Muséum national d'histoire naturelle, rayon « vestiges ») pousse à capitaliser au maximum sur son travail.

Une pression ressentie

L'étude « Women in Society », lancée par le magazine *ELLE*, a démontré fin 2014 que la première pression sociale ressentie par les femmes était : « réussir sa vie professionnelle ». En effet, travailler ne suffit plus : il faut désormais « faire carrière » ! Et comme deux couples sur trois divorcent dans les grandes villes, il faut pouvoir être prête à tout moment à subvenir seule à ses besoins et à ceux de ses enfants. Ce qui est valable aussi pour les hommes…

Une étude de l'ANACT, présentée dans le cadre de la « 11e Semaine pour la qualité de vie au travail », a révélé que 49 % des salariés éprouvent des difficultés à passer suffisamment de temps avec leur conjoint et 57 %, trop pris par leur vie professionnelle, ont du mal à accomplir des formalités administratives. Le travail est désormais plus qu'une simple valeur : c'est un mode de vie.

Un manque de repos

Ariana Huffington (cofondatrice du *Huffington Post*) a déclaré que le sommeil serait la prochaine grande cause féministe ! Et il est vrai que toutes et tous – hommes et femmes – vivons sous le joug des quatre normes masculines du pouvoir. Parmi elles, le refus de l'émotion (un homme ça ne pleure pas), mais aussi l'esprit de compétition ! Être le ou la meilleure, tout le temps...

On peut blâmer la culture du présentéisme en entreprise, et paradoxalement aussi, redouter cette forme de télétravail qui nous pousse à être actif « partout, tout le temps » !

Pour autant, si la société dans laquelle nous vivons a créé un terreau favorable au développement de l'épuisement, il serait malhonnête de ne blâmer qu'elle. Des facteurs individuels, psychologiques, managériaux... entrent aussi en compte dans le développement de l'épuisement.

Une maladie du « soi »

Dès les années soixante-dix, dans la continuité des travaux du professeur H.B. Bradley (université technique du Texas), l'épuisement est reconnu comme touchant avant tout les professionnels de la santé et du social. Découragement, cynisme, conduites agressives envers des personnes que l'on est censés aider, etc., ont fait partie des premiers signaux d'alerte.

Aujourd'hui encore, l'épuisement est surreprésenté chez les professionnels du « *care* » au sens large : enseignants, soignants, travailleurs sociaux, mais aussi bénévoles d'associations, parents, policiers, employés de centres d'appels, managers d'équipes...

Si l'épuisement a longtemps été une maladie du « soin », on peut aujourd'hui parler de « maladie du soi ». L'épuisement, le burn-out, naît d'une différence entre les ressources et les attentes d'un individu. C'est la maladie de la psyché, mais aussi de la relation aux autres et à soi : quelqu'un qui s'épuise a perdu son « soi » et ne prend plus « soin » de lui.

Karōshi, jusqu'à la mort

Dans les années quatre-vingt, l'épuisement est entré dans le langage courant *via* les fameux « yuppies » caricaturés dans les séries télé comme drogués aux dopants, au café et parfois à la coke, rivés sur leurs trois téléphones portables.

C'est aussi à cette époque que l'INRS a reconnu comme une « psychopathologie du travail » l'épuisement professionnel, caractérisé comme le fait de « ne pas y arriver, d'être épuisé par un manque de ressources face à des exigences trop grandes ».

En médecine traditionnelle chinoise, on le traduirait par « un manque de Qi », c'est-à-dire un manque d'énergie vitale. D'ailleurs, dès la fin des années quatre-vingt, le gouvernement chinois a commencé des recherches et des études autour du « *karōshi* » (mort subite par arrêt cardiaque suite à une charge de travail ou un stress trop important). Le *karōshi* est d'ailleurs reconnu au Japon comme une maladie professionnelle depuis les années soixante-dix.

Une question de vocabulaire

On l'aura compris, la pression professionnelle, sociale ou familiale à laquelle nous nous soumettons, nous amène parfois à dépasser nos limites. Mais la vie plus simplement (mariage, naissance, décès, séparation, accident, maladie...) nous oblige aussi parfois à puiser immodérément dans nos ressources. C'est alors qu'apparaissent des symptômes qui essaient de nous alerter sur un état de fatigue qui s'annonce. Fatigue passagère, fatigue chronique, fatigue extrême, épuisement, burn-out, dépression... Les mots sont nombreux qui évoquent ce mal-être.

Nous parlerons d'épuisement professionnel, ou de burn-out, lorsque la fatigue ressentie dure, s'installe graduellement, et qu'elle est accompagnée d'une volonté d'en faire « toujours plus », de « ne pas s'arrêter » ou de « ne pas pouvoir s'arrêter ». L'épuisement se caractérise aussi par une relation à l'autre altérée, teintée de cynisme, de manque d'empathie, ou tout simplement d'indifférence. On entend souvent les personnes épuisées dire : « Je ne comprends pas pourquoi les autres n'en font pas autant que moi ! »

La dépression, quant à elle, est un terme médical qui évoque un trouble mental. Elle se caractérise entre autres par la perte d'envie et nécessite des soins médicaux et psychiatriques rapides. Au premier regard, on pourrait confondre dépressifs et épuisés. Mais l'épuisement se caractérise par une envie irrépressible de continuer à travailler malgré les alertes physiques et psychologiques. La dépression diffère : elle se caractérise par une absence d'envie. Le dépressif n'a pas d'énergie et il le sait. L'épuisé n'a plus d'énergie et il s'en moque : il continue comme s'il en avait encore.

La fatigue chronique (aussi appelée encéphalomyélite myalgique), contrairement à l'épuisement, gradué et marqué dans le temps, se niche dans la durée. Ses causes sont encore débattues par les professionnels de la médecine, mais la fatigue chronique survient sans raison apparente sur des sujets équilibrés suite à une infection virale perdurante (grippe, par exemple).

De la même façon, si vous avez eu, par exemple, une mononucléose, vous vous sentirez à juste titre épuisé, mais votre épuisement n'aura pas grand-chose à voir avec un burn-out, et les moyens de récupération à mettre en place ne seront pas les mêmes.

Quand la guérison est dans la cause

On dit « je m'épuise », avec un pronom personnel. Christina Maslach, psychologue multirécompensée pour ses découvertes autour de l'épuisement, a mis en place un test de mesure de l'épuisement (le MBI) : elle distingue l'épuisement émotionnel, la dépersonnalisation et l'accomplissement personnel.

Près de trente ans plus tard, ce test n'est plus forcément représentatif de la réalité quotidienne des personnes épuisées ; mais ses recherches passionnantes servent encore de base à de nombreux managers.

De nombreuses personnes concernées

Les cadres dynamiques, les employés pressurisés, les travailleurs au rythme difficile (3 x 8, etc.). Mais 100 % de la population peut être sujette à l'épuisement ou à la fatigue intense, alors n'excluons pas les mères (et les pères) au foyer, les femmes enceintes, les grands voyageurs, les chefs d'entreprise, les ouvriers manuels, les jeunes parents et les jeunes retraités submergés par leurs nouvelles activités, etc.

Témoignage de Marlène Schiappa, fondatrice de « Maman travaille »

Hyperactive, je jongle professionnellement entre une micro-entreprise, une association, deux blogs, douze conférences par an, la publication d'articles et de livres. Personnellement, j'élève deux enfants et suis bénévole dans plusieurs organisations. Mais ce qui occupe le plus clair de mon temps, c'est que je suis élue d'une ville et d'une métropole de 200 000 habitants (Le Mans). Je fais partie de ces gens qui ne supportent ni le vide, ni le silence.

Je me remets en permanence en question, sortant sans cesse de mes « zones de confort » pour aller explorer d'autres territoires professionnels, apprendre de nouvelles choses, rencontrer de nouvelles personnes dans le but de « servir à quelque chose ».

Chaque journée passée sans avoir servi à quelque chose ou à quelqu'un est pour moi une journée gâchée !

Il y a quelques années « Un jour, j'arrêterai de m'épuiser » avait fini par devenir un Post-it mental, un mantra. « Demain... après ce projet... après la rentrée scolaire... après les fêtes de Noël... »

Pendant ma deuxième grossesse, pour m'obliger à me reposer, mon sage-femme affolé par mon rythme de vie avait même écrit noir sur blanc sur une ordonnance : « Sieste quotidienne obligatoire », souligné. Je l'avais affichée sur la chaudière.

Bien sûr, il avait raison. Mais bien sûr, je ne l'ai pas écouté.

Comme s'il fallait que le signal vienne de moi-même.

La prise de conscience de mon état d'épuisement a eu lieu l'an dernier, et a dû passer par un gros signal « STOP » envoyé par mon propre corps.

Je sortais d'une période difficile émotionnellement. Ma fille cadette, alors encore bébé, a déclaré une maladie tropicale rare. J'ai passé des mois à lutter contre le corps médical et contre mes propres proches pour ne serait-ce qu'obtenir qu'on lui fasse passer des analyses. Je ne supportais pas qu'on minimise sa douleur, puisque de toute évidence, elle souffrait. Cette lutte permanente contre ce qui m'apparaissait comme une menace de mort sur mon bébé a été épuisante.

Le diagnostic a enfin permis de la soigner, mais a fait grandir mon sentiment de culpabilité puisqu'il s'est révélé probable que j'étais la personne qui l'avait contaminée, de retour d'un reportage en Afrique. Chaque parent d'enfant malade sait ce que c'est que de passer ses nuits sur Doctissimo et Wikipédia à la recherche d'informations, et de voir son bébé faire des allers-retours à l'hôpital.

Dans ces cas-là, au lieu de se reposer des soins que l'on apporte à nos enfants, le travail peut aussi devenir une sorte de refuge où l'on contrôle les événements... ce qui ne peut mener qu'à l'épuisement !

Depuis plusieurs mois, j'avais très mal au bas du dos. J'étais encore plus fatiguée que d'habitude ce jour-là. Pourtant, j'ai serré les dents, gardé les yeux ouverts, enchaîné une journée de travail, les bains et repas des enfants, et suis repartie après leur coucher à une soirée de lancement d'un livre à l'autre bout de Paris. J'avais mal au dos, et alors ? Je n'allais quand même pas arrêter de travailler pour si peu !

Le lendemain, j'ai répété une douzaine de fois : « Je ne sais pas ce que j'ai, je ne me sens pas très bien... », en grimaçant, continuant malgré tout réunions, rendez-vous professionnels et obligations familiales. J'ai annulé mon déjeuner de travail, ne me sentant pas la force de l'assurer, et me suis réfugiée dans un bar où j'allais souvent travailler. Mon ordinateur portable était allumé devant moi, mais je n'arrivais pas à taper. Je ne trouvais plus mes mots. Mais même face à cette perte de capacité subite, je ne me suis pas dit : « Je vais prendre rendez-vous chez un médecin » ou « Je vais aller dormir un peu » ou encore « Je vais prendre un médicament ». Non, je me suis juste dis que j'allais « prendre sur moi », selon le bon vieil adage « Sois fort, fais des efforts ! ».

À 17 heures, j'ai quand même fini par quitter mon bureau. À 19 heures, je grelottais sous une couette, incapable de préparer un dîner pour mes enfants. À 20 heures, j'avais 41 de fièvre mais je me sentais gelée, et ma fille aînée téléphonait à son père pour lui dire que « maman est bizarre, tu devrais rentrer ». À 23 heures, je délirais complètement, à demi-inconsciente, je ne savais même plus où je me trouvais ni comment je m'appelais, je me « sentais partir ».

Le lendemain, j'étais hospitalisée en urgence dans un état « inquiétant » à la demande de SOS Médecins. J'avais une pyélonéphrite qui semblait avoir dégénéré en infection généralisée, faute de ressources pour la combattre. Les médecins me parlaient de choc septique : « C'est courant chez les mères de famille, et plus généralement les personnes épuisées. Je parie que vous ne prenez jamais de pause, que vous ne buvez pas assez d'eau, et que vous ne dormez pas assez ? Vous n'aidez pas votre organisme, alors votre organisme ne peut pas vous aider. Comment voulez-vous que votre corps fonctionne si vous avez déjà épuisé toutes ses ressources ? », m'a demandé la médecin urgentiste en confisquant d'autorité mon BlackBerry.

Il a fallu dix jours pour que la fièvre chute et que l'on me retire les perfusions de toutes sortes. Pendant mon séjour à l'hôpital, je me suis aperçue en parlant avec la formidable équipe soignante que je me « maltraitais » en m'épuisant.

— Combien de litres d'eau buvez-vous par jour ?

— Je ne bois jamais d'eau, je bois du Coca light ou du thé, pour tenir.

— Combien d'heures dormez-vous par nuit ?

— C'est hachuré, entre le travail et le bébé, souvent je reste debout jusqu'à son premier biberon.

— À quand remonte votre dernière visite chez le médecin ?

— À mon dernier accouchement.

— Le week-end, vous faites des siestes ?

— Non, le week-end, je travaille sur mes futurs projets. Excusez-moi, mon BlackBerry vibre, docteur... »

Sur l'échelle de l'épuisement, j'en étais au stade du 9,99 sur 10. Si j'avais pu comprendre et réagir au stade 2, ou 4, ou même 7, j'aurais évité cet épisode aussi désagréable que douloureux ; pour moi comme pour mon entourage professionnel et familial.

Parce que l'on pense que s'épuiser rend service à notre entourage, parce que l'on ne veut pas déléguer, que l'on ne veut pas être un poids... Mais quand on est alité pendant dix jours, c'est à eux de se débrouiller sans nous. Le père des filles a dû poser des jours de congé et s'occuper d'elles, avec l'aide de mon père à moi quand il travaillait. J'étais en pleine préparation d'un événement de mon association « Maman travaille », et l'équipe de bénévoles comme les prestataires ont su formidablement prendre le relais dans les derniers détails à régler. L'éditeur à qui je devais rendre un texte corrigé a patienté. Bref, le monde a continué de tourner sans moi...

C'est à ce moment précis que j'ai réalisé que je n'étais pas Wonder Woman.

Car oui, comme beaucoup de personnes qui s'épuisent, je me nourrissais des petits mots admiratifs ou des « Tu en fais tellement ! » de mon entourage. Je me sentais utile, efficace, existante en m'épuisant. Je me sentais exceptionnelle aussi, puisque tout le monde me demandait comment je faisais pour en faire autant, tout le temps !

Et une escalade s'installait : si une année n j'avais créé dix projets, je voulais en monter douze l'année $n + 1$, sans renoncer à mon rôle de mère, à accompagner les sorties scolaires, à animer des ateliers avec les enfants...

C'est l'effet pervers de l'épuisement : il nous détruit physiquement tout en nous faisant croire, comme une drogue, que nous en avons besoin intellectuellement. Quand on tente d'arrêter de s'épuiser, notre corps garde ses réflexes de surchauffe, il attend de la sollicitation, de l'activité, de l'adrénaline ! Il est en crise de manque.

J'ai alors compris que l'on me présentait la note, que j'allais « payer » d'une façon ou d'une autre l'épuisement qui était le mien depuis des années, qu'à force de « tirer sur la corde », il n'y avait plus de corde.

Vous savez, comme quand votre téléphone est déchargé, et que vous essayez d'appeler tout de même, alors que le voyant rouge s'allume et qu'un *off* clignote. Comme s'il allait se recharger tout seul, juste parce que vous le voulez. Pour que vous vous décidiez à recharger le téléphone, il faut qu'il s'éteigne totalement. Il m'a fallu ce black-out.

En m'épuisant, je ne prenais pas soin de moi. Je n'étais pas ma propre amie.

À partir de cette prise de conscience, j'ai totalement revu mon mode de fonctionnement, sur le plan professionnel comme sur le plan personnel et même intime.

J'ai réalisé que tout ce que je faisais ne pouvait que me conduire à l'épuisement : alimentation, sommeil, travail, vie sociale, vie de famille...

Je vis aujourd'hui dans la Sarthe, dans une ville dynamique, pétillante (Le Mans), mais surtout facile à vivre, qui ne sacrifie pas la qualité de la vie personnelle à la quête de performance.

Et puis, j'ai suivi les conseils de mon médecin. J'ai arrêté subitement de boire du Coca light. Je l'ai remplacé par de l'eau, en prenant l'habitude d'en boire au moins sept verres dans une journée, ainsi que du pur jus de pamplemousse. Au lieu de donner à mon corps des acidifiants et de l'aspartame, créant un appel au sucre, je le nourris avec des vitamines. J'ai remplacé les donuts matinaux du Starbucks par du müesli au lait de soja. Aujourd'hui, le Coca-Cola® me dégoûte, je me demande comment j'ai pu en boire autant et en donner à mes enfants...

Je me suis interdit de travailler la nuit. Si j'ai un dossier urgent à rendre pour le lendemain à 9 heures : je me couche et je mets mon réveil une heure plus tôt pour travailler le matin.

J'ai appris à demander des délais supplémentaires quand c'est nécessaire.

J'ai appris à dire « Non », ou à dire « Je vais réfléchir » quand on me fait une proposition professionnelle.

J'ai renoncé à être la meilleure partout, à être joignable tout le temps. Il m'arrive même d'éteindre mon téléphone (pas souvent, mais quand même).

Si j'ai une réunion à 14 heures, je ne dis plus que je serai à la sortie de l'école à 16 heures 15. Je ne fixe pas une *conf call* à 18 heures quand j'organise à 20 heures l'anniversaire d'une amie. Je consacre plus de temps à des activités « non productives » comme écouter des amis, faire du vélo, du yoga, sortir danser...

J'ai remplacé la recherche de la perfection qui avait été mon unique objectif durant les dernières années par la recherche du bien faire et du bien-être ; et perfection et bien-être sont deux choses qui, je l'ai appris à mes dépens, vont rarement ensemble !

Celles ou ceux qui lisent le blog « Maman travaille » savent que je n'ai pas l'habitude d'y raconter ma vie personnelle : je n'y parle pas de mes anniversaires et je n'y ai pas raconté la naissance de mes enfants ; j'ai donc passé sous silence total cet épisode.

Je prends le risque que mes propos soient déformés ou utilisés en le livrant ici, bien qu'ils soient encore liés à des événements douloureux, parce que je veux dire aux personnes épuisées qu'elles ne sont pas les seules et qu'elles ne doivent pas en avoir honte. Jean-Luc Romero a dit : « Les politiques devraient faire croire qu'ils sont des robots, infaillibles, jamais malades... mais pourquoi ? Il faut parler des problèmes, nous sommes des humains ! »

Notre message, avec Cédric, est le suivant : vous pouvez vaincre votre épuisement. Car mon cas est loin d'être isolé !

On peut même dire que j'ai été relativement épargnée. Car j'avais les ressources, l'entourage personnel et médical, la connaissance du sujet, les moyens et la volonté de changer mon mode de vie.

Pardon de plomber l'ambiance, mais chaque année, l'épuisement fait des morts : suicides, accidents cardio-vasculaires... et des dégâts collatéraux.

Au travail, les tristement célèbres exemples de France Telecom ou des mouvements de médecins (400 suicides les cinq dernières années juste dans cette fonction, dus au burn-out).

À la maison, des milliers de témoignages ont afflué suite à la parution du livre *Mère épuisée*, de Stéphanie Allenou (voir bibliographie p. 223).

Les médecins estiment qu'il faut neuf à vingt-quatre mois pour se remettre d'un vrai burn-out.

En tant que fondatrice de « Maman travaille », des mères actives ont pris l'habitude de me contacter pour me raconter leurs expériences, et certaines appellent clairement au secours, elles s'épuisent et ont parfois juste envie qu'on leur dise : « Hé ! Vous avez le droit d'arrêter de vous épuiser… C'est OK ! »

Qu'il s'agisse d'une jeune mère, d'un ouvrier métallo, d'une chef d'entreprise, d'un étudiant en période de concours… toutes et tous ont à cœur de ne pas être une charge pour les autres, d'aider, d'être utile, d'être performant, et toutes et tous ont perdu le contact avec eux-mêmes, à un moment où l'épuisement s'est installé dans leur cerveau comme un parasite, les empêchant de se connecter à leurs vrais besoins.

Raison de plus pour renverser la vapeur et déceler l'épuisement quand il s'immisce, avant de plonger dans une situation plus grave.

Introduction

L'épuisement touche tout le monde, toutes les strates de la société occidentale, de l'enfant épuisé par les besoins de ses parents au jeune retraité épuisé par ses multiples engagements, du cadre supérieur à cravate et oreillette en plein rush à la Défense au jeune parent épuisé par les innombrables réveils nocturnes (faim, pipi, biberon, cauchemar), du jeune adulte en période de concours au quadra en recherche d'emploi... en passant par vous.

Comment vous sauver la vie ?

Arrêter de vous épuiser, c'est tout simplement vous sauver la vie !

Nous évoluons dans une société de la surinformation : surenchère de news dans les médias, surexposition publicitaire, omniprésence des réseaux sociaux, courriers, courriels, SMS, etc. Notre cerveau est donc bombardé à chaque instant de la journée par des milliards de fragments d'informations qu'il doit analyser, traiter, mémoriser, classer, relier à d'autres informations, oublier.

Si nous ajoutons à cela un contexte économique de crise, mondialisée, financiarisée, avec le culte de la performance érigé en mode de fonctionnement, nous obtenons alors les ingrédients d'un cocktail détonant pour mettre à rude épreuve nos organismes !

On peut dormir dix heures par nuit et être épuisé.

On peut crouler sous le travail sans être épuisé.

Ce n'est pas ce que l'on fait qui nous épuise, c'est la façon dont on le fait, et la façon dont on le perçoit.

On peut être épuisé par une dépression sans sortir de son lit.

On peut être épuisé par un événement heureux comme une naissance ou un mariage.

On peut être épuisé par des standards trop élevés, par la quête d'une belle image de soi, par la tyrannie de la performance.

On peut être épuisé par un déséquilibre entre les contraintes et les plaisirs de la vie.

On peut être épuisé par une quête inaccessible de perfection, jeunesse, beauté, performance, réactivité, perpétuel examen de conscience, parce que l'on se confond avec ce « moi idéal » que l'on s'est créé.

On peut être épuisé parce que l'on a oublié de lâcher prise et parce que notre société ne sait plus faire de place à ceux ou celles qu'elle considère comme « non productifs », même pour quelques jours.

Cette hyper-compétitivité nous amène à nous épuiser.

L'épuisement est un phénomène global, qui fait appel aux mécanismes managériaux, sociaux, psychosociaux, économiques, médicaux, neurologiques, familiaux... d'une personne. Et nous insistons sur le fait que c'est surtout une question de perception. Ainsi l'épuisement, comme le bonheur, ne peut-il s'évaluer que par l'individu concerné.

Dans les formations que nous animons en entreprises ou auprès de parents, le module « J'arrête de m'épuiser » est le mieux noté, le plus sollicité. Et même lorsque le thème initial de la formation est différent, vient quasi toujours systématiquement un moment où l'on va parler d'épuisement.

Trop souvent, à l'évocation de l'épuisement ou de la fatigue intense, la réponse apportée est « Tu devrais dormir plus ». Or, il est impossible de dormir plus, de passer des nuits reposantes quand nos journées nous maintiennent en état d'éveil et d'hyper-vigilance permanente. Dormir, c'est la dernière étape pour arrêter de s'épuiser. Il ne faut pas commencer par dormir, il faut commencer par arrêter de s'épuiser pour pouvoir enfin retrouver un sommeil réparateur.

Il faut bien prendre conscience que dans « J'arrête de m'épuiser », le pronom personnel est important, car nous nous épuisons, vous vous épuisez. Vous portez donc la solution en vous !

Et ce livre va tenter de vous faire « accoucher » de cette solution, d'analyser votre épuisement, d'agir pour vous permettre de retrouver la forme.

La bonne nouvelle, c'est que vous avez 21 jours pour agir.

Une méthode rien que pour vous !

Nous vous proposons un programme complet de 21 jours, soit trois semaines pour arrêter de vous épuiser : la première semaine vous propose d'agir sur les sources internes de votre épuisement ; la deuxième semaine va vous permettre de reprendre la main sur votre environnement pro et perso ; et grâce à la troisième semaine, vous saurez désormais vous entourer des bonnes personnes et retrouver votre vitalité.

Chaque journée comporte un thème directeur et des pistes de réflexion à mettre en œuvre.

Chaque journée est ainsi composée :
- d'un peu de théorie et de beaucoup d'explications ;
- de témoignages vivants et saisissants ;
- d'exercices pratiques guidés ;
- des conseils de Cédric et de Marlène ;
- d'un récapitulatif pour recharger votre batterie.

Vous trouverez également des tests et des cas pratiques pour vous accompagner dans votre réflexion, des mantras et des citations à vous approprier et à reprendre pour installer durablement le changement dans votre vie.

Chaque semaine se conclut par un bilan accompagné d'un questionnaire précis pour vous aider à évaluer vos acquis, et par un challenge supplémentaire.

SEMAINE 1

J'agis sur les sources internes de mon épuisement

JOUR 1

Je prends conscience

Quand on parle d'épuisement, chacun hoche la tête d'un air entendu comme s'il compatissait, sans pour autant être concerné. Comme l'enfer pour Sartre, l'épuisement, c'est les autres ! Une bonne raison pour faire ce petit test et évaluer votre propre niveau d'épuisement.

Et moi, suis-je épuisé ?

Êtes-vous épuisé(e) ?

Cochez la case à chaque fois qu'une affirmation correspond à votre état actuel.

- Quand vous vous réveillez, il vous arrive d'être aussi épuisé(e), voire plus, que la veille au soir. ❏ Oui ❏ Non
- Vous êtes irritable, vous vous énervez facilement pour des choses objectivement peu importantes (retard du bus, conjoint qui oublie de ranger ses affaires, etc.). ❏ Oui ❏ Non
- Vous avez le sentiment d'être parfois abattu(e). ❏ Oui ❏ Non
- Vous arrivez parfois en retard à des rendez-vous et il vous est arrivé d'en annuler parce que vous ne vous sentiez pas l'énergie de les assurer. ❏ Oui ❏ Non
- Vous souffrez de douleurs si récurrentes que vous vous y êtes presque habitué(e) (dos, pieds, mains, épaules, tête…). ❏ Oui ❏ Non
- Vous avez repoussé au moins une fois un rendez-vous médical. ❏ Oui ❏ Non
- Il vous arrive de sauter des repas, ou de manger de façon désordonnée. ❏ Oui ❏ Non

Si vous avez coché plus de trois cases, il peut sembler intéressant d'identifier ce qui vous amène à cet épuisement. Pour cela, faites la liste de ce qui vous épuise.

Prenez le temps de dresser la liste de ce qui vous épuise aujourd'hui, alors que vous êtes au début de votre programme. Vous pourrez ainsi revenir sur cette liste plus tard et mesurer le chemin de réparation parcouru à la fin de votre programme.

Exemples de réponses à la question « Qu'est-ce qui m'épuise ? » :

- mon rythme de vie ;
- la culpabilité de ne jamais faire « comme il faudrait » ;
- ressasser mes problèmes ou des conflits ;
- jouer un rôle ;
- le manque de sommeil ;
- les nuits hachurées ;
- les angoisses existentielles ;
- des événements particuliers (licenciement, déménagement, divorce, nouveau travail…) ;
- me laisser déborder ;
- ne pas savoir dire non ;
- m'occuper de mes parents (grands-parents…) ;
- surcontrôler ;
- me donner des objectifs démesurés ;
- refuser de déléguer ;
- vouloir tout prendre en charge ;
- les enfants en bas âge ;
- les adolescents ;
- les problèmes matériels ou financiers ;
- les problèmes de santé (les miens, ceux de mon entourage) ;
- les sollicitations permanentes ;
- la surcharge de travail ;
- les reproches que l'on me fait ;
- le bruit (des enfants, de la rue, du bureau…) ;
- les autres (les personnes toxiques ou en demande…).

Poursuivez la liste avec ce qui vous épuise, vous :

. . . .

. . . .

Identifier ce qui vous épuise, vous, va vous permettre de pouvoir agir sur les causes de votre épuisement. Mais tout ceci n'est qu'un début !

Alertes épuisement

Nous avons tous des signaux, envoyés par notre corps, pour nous prévenir de notre état d'épuisement. Si nous prenons le temps de les lister et de les écouter, nous pourrons nous préparer à les recevoir et à réagir avant l'épuisement.

Nous avons pu établir une liste de 21 signaux les plus fréquents, cités spontanément par les participants aux formations que nous donnons autour du thème « J'arrête de m'épuiser ». Nous vous la livrons ici. N'hésitez pas à la compléter avec vos propres signaux. L'important ici étant de reconnaître les signaux que vous envoie votre propre corps :

- Ma gorge me gratte sans raison apparente.
- Je perds l'appétit, je n'ai pas la sensation de faim.
- Au contraire, j'ai des fringales, je grignote sans cesse.
- La digestion devient difficile, j'ai mal au ventre dès que je mange.
- Je bâille facilement quand on me parle, même de choses supposées m'intéresser.
- J'ai les yeux qui piquent, qui se ferment, qui grattent.
- Je confonds, je me trompe (de lieu, de nom) facilement.
- Ma vision se trouble, je vois des voiles devant mes yeux.
- J'ai des micro-pertes de mémoire (je ne sais plus où je me suis garé, je ne me souviens pas si j'ai bien téléphoné pour décaler un rendez-vous...).
- Je perds mes affaires (je ne trouve plus mes clés, mon agenda, mon portefeuille...).
- Mon entourage m'agace sans vraie raison.
- Je crie facilement, je m'énerve, je suis irritable.
- J'ai arrêté le sport, les loisirs, les sorties plaisantes...
- Je soupire facilement et je répète des phrases du type « J'en ai marre », « J'en peux plus ».
- Je décroche vite (des films, des discussions).

- J'ai des insomnies, un sommeil agité avec des mauvais rêves.
- Je me réveille fatigué, même après une bonne nuit de sommeil.
- Je n'ai plus aucune patience, ou moins de patience qu'avant.
- Sur la brosse, dans la douche... je vois des cheveux tombés.
- J'ai des petits boutons, le teint brouillé, mauvaise mine globalement.
- Je suis lent, je ne me sens aucune énergie.
- Je suis mélancolique.
- J'ai des bouffées d'angoisse, des attaques de panique.
- J'ai des douleurs de dos.

Si vous avez au moins trois de ces signes, considérez que vous êtes en état d'alerte épuisement. Au-delà de dix, il est probable que vous soyez déjà épuisé...

 ## Rappel sur les phases du burn-out

→ **Phase 1** : Je ne m'épuise pas (situation normale)
- Je dors bien, je mange bien, je bouge, mon travail me plaît (ou ne me plaît pas, mais n'est pas une source de souffrance), je suis en phase avec moi-même.
- *À faire* : Poursuivre des cycles travail/loisirs/repos.

→ **Phase 2** : Je commence à m'épuiser (situation d'alerte épuisement)
- Je m'agace, je m'irrite, je commence à manger ou à dormir de manière désordonnée, je ressens un début de malaise.
- *À faire* : prendre des vacances, lancer un cycle de loisirs ou de repos, consulter un coach, un psy ou un médecin, contacter un ami.

→ **Phase 3** : Je continue à m'épuiser (situation de « burn in »)
- Je m'énerve, je dors mal ou peu, je mange mal ou peu, j'ai des signaux physiques évidents d'épuisement mais je refuse de me prendre en charge, je veux continuer à performer et je pense pouvoir « tenir » encore !
- *À faire* : lancer une prise en charge médicale avec repos obligatoire.

→ **Phase 4** : Je m'épuise (situation de burn-out)
- Je me déconcentre, je m'épuise, je perds peu à peu mon estime de moi, mon sentiment d'appartenance à un groupe ou à un principe, j'ai de vrais signaux physiques d'épuisement (maux de dos, de gorge, etc.), je tombe malade facilement, mon rythme cardiaque est désordonné, je dors mal ou peu...
- *À faire* : prise en charge psychologique et médicale urgentissime pour sortir de l'environnement de travail habituel qui a mené à cette situation.

Les risques de l'épuisement

Pourquoi est-ce important et pourquoi avez-vous bien fait de prendre les choses en main ?

Jusque-là, vous avez peut-être toujours été plus ou moins fatigué. Dans les formations dédiées à la prévention de l'épuisement, il est incroyable de constater combien de temps les personnes épuisées peuvent continuer à fonctionner. Une personne en état d'épuisement très avancé n'arrive souvent même plus à se remémorer le temps où elle n'était pas épuisée.

En entretien annuel d'évaluation, il est fréquent de rencontrer des salariés épuisés qui n'ont pas conscience de leur état. Ces salariés sont souvent amenés à considérer leur épuisement comme « normal », comme faisant partie d'un mode de fonctionnement menant à la performance. Certains sont même fiers de travailler alors qu'ils sont épuisés !

À force de fonctionner avec l'épuisement, de vivre avec lui, on finit par s'y habituer et par oublier qu'il représente un danger, une menace. Et pourtant, l'épuisement n'est pas un « petit coup de mou » mais un vrai danger pour votre vie !

Pour bien prendre la mesure de cet état d'épuisement que vous pouvez ressentir, il faut comprendre qu'il ne s'agit pas de faiblesse, mais d'un vrai mal qui peut vous ronger. Passons donc maintenant en revue les risques qu'il comporte.

Des risques pour votre santé

Il y a bien sûr les premières conséquences physiques, sur l'apparence et la beauté : des cernes creusés, un teint brouillé, des cheveux qui tombent, une peau qui perd de son élasticité... Épuisé, on prend aussi moins « soin de soi », on n'a plus l'énergie ou le temps de se mettre des crèmes, de faire poser des masques, de choisir ses vêtements avec soin.

Témoignage d'Élise, 41 ans, cadre dans un cabinet d'audit

« Pour moi, prendre moins soin de moi, c'est le premier signe d'épuisement. Je suis de nature soignée, j'aime porter de beaux vêtements assortis. Quand je commence à mettre mon jean plusieurs jours d'affilée, à chercher un gros pull doudou, je sais que je commence à m'épuiser. Le corollaire de cela, c'est que je me trouve moche et que je n'ai plus envie d'aller vers les autres. Alors parfois, je déprime... »

Mais tout ceci pourrait presque paraître marginal...

Car, avant tout, l'épuisement fait courir des risques graves à votre santé. Dormir moins de six à sept heures par nuit détériore environ 700 gènes humains, d'après une étude scientifique récente !

Une autre étude publiée récemment dans la revue *Sleep* a également démontré qu'après une nuit de sommeil, la masse cérébrale diminuait.

« Les gens qui dorment moins de six heures par nuit ont quatre fois plus de chances de présenter des symptômes d'AVC que leur vis-à-vis de poids normal qui dort entre sept et huit heures », explique Megan Ruiter (chercheuse à l'University of Alabama de Birmingham) dans un article du *Huffington Post*[1].

Votre corps, mobilisé pour rester éveillé, utilise toutes ses ressources et ne se défend plus aussi efficacement. Ainsi, les cancers du sein et les cancers colorectaux agressifs font partie des maladies se nourrissant de l'épuisement. Ne vous sentez-vous pas plus vulnérable (angines à répétition, migraines, etc.) en période d'épuisement ? Le nombre de spermatozoïdes se réduit à mesure que le sommeil diminue, chez les hommes, et la fabrique d'anticorps ralentit, ne permettant pas au corps de lutter face aux infections.

Sans compter que la fatigue fait largement diminuer la vigilance et peut causer des accidents de voitures, des chutes (dans les escaliers, sur le trottoir...), ou des erreurs de toutes sortes.

---

1. *Huffington Post*, 12 janvier 2014.

Des risques pour vos proches

Une étude menée par l'université de Berkeley[2] en Californie (en association avec la Harvard Medical School), menée sur des hommes en bonne santé, démontre que l'épuisement agit sur les zones liées à l'émotivité. Après une nuit de sommeil altéré, ils commencent à sur-réagir ; et après deux nuits, les centres émotifs du cerveau sont jusqu'à 60 % plus réactifs. Ce qui n'est pas sans conséquence sur les relations sociales : hypersensibilité, pleurs, sentiments de persécution, d'abandon, tensions... Les émotions sont ressentis plus fortement et le cerveau y apporte des réponses inappropriées, dans l'urgence, en ayant détecté ces situations comme des « menaces ».

La conséquence peut aller de la simple dispute conjugale à une colère, un énervement et, à long terme, à une rupture du lien social pouvant mener à l'isolement.

Témoignage de Nour, 32 ans, comptable

« Quand je suis épuisée, je deviens agressive avec ma famille. Je menace les enfants de fessées ou de claques, il m'arrive de lancer des objets, je réponds sèchement à mes collègues... »

Des risques pour votre travail

On l'a vu, l'épuisement nuit à la concentration, la patience, l'attention, la mémoire... Des qualités et des compétences nécessaires au travail de nombreux métiers : chirurgien, ouvrier qualifié, éducateur de jeunes enfants...

Une faute grave ou plusieurs erreurs répétées peuvent même conduire à la perte de son emploi !

Le pôle « Santé et travail » de l'INRS (Institut national de recherches et de sécurité) a défini les conséquences de l'épuisement professionnel sur le travail. Selon eux, l'épuisement professionnel donne l'impression d'être

---

2. http://berkeley.edu/news/media/releases/2007/10/22_sleeploss.shtml

« vidé de ses ressources émotionnelles ». Ce point nuit considérablement aux professionnels en lien avec d'autres personnes (métiers du social, professionnels de la petite enfance, enseignants, commerciaux, managers…), mais aussi à toute personne censée avoir des liens avec autrui, qu'il s'agisse de collègues, de clients, de prestataires… L'autre est alors considéré « comme un objet », dit l'INRS. Le risque existe bel et bien pour la personne épuisée mais aussi pour son entourage.

À terme, l'épuisement émotionnel peut ruiner les relations humaines, puisqu'il empêche l'empathie et parfois même le simple dialogue. Les salariés épuisés ne s'en rendent pas compte eux-mêmes, c'est souvent des collègues qui signalent un « changement de comportement », par exemple.

Le sentiment de « non-accomplissement » qui en découle peut tout simplement conduire à la remise en question de l'engagement initial. On entend souvent : « Je vais tout arrêter » ou « Je vais tout laisser tomber ». Une personne épuisée peut être amenée à « tout plaquer » dans la douleur, et ce, alors qu'elle est toujours qualifiée et compétente !

C'est d'ailleurs sur ce mécanisme que jouent les managements dits « pervers » : en épuisant leurs salariés pour les faire partir de leur propre chef (voir p. 99 à propos du *mobbing*).

J'autoévalue mon état d'épuisement

Sur le dessin de la batterie ci-contre, notez votre degré actuel d'épuisement :
- 1 étant : « Très épuisé(e), j'ai envie de me rouler en boule en position fœtale sous une couette et de dormir pendant dix-sept heures consécutives ; si là, tout de suite, une ambulance du Samu passe pour me prendre et m'emmener dans une maison de repos, je ne dis pas non. »
- 10 étant : « Très peu épuisé(e), en forme, je me sens d'humeur à un petit jogging, à de nouveaux projets, si l'on me propose de sortir ce soir en boîte jusqu'à 3 heures du matin, je suis sans problème ! »

Un peu d'histoire personnelle...

Maintenant, pour comprendre si votre épuisement est chronique ou s'il est soudain, si vous êtes de nature épuisé(e) ou si votre épuisement est lié à des événements bien particuliers, notez votre (vos) pire(s) moment(s) d'épuisement, le(s) moment(s) de votre vie où vous vous êtes senti(e) le plus épuisé(e).

. . . .

. . . .

. . . .

. . . .

. . . .

. . . .

Vous diriez qu'à ce(s) moment(s)-là vous étiez : fatigué(e), surchargé(e) de travail, préoccupé(e) par des situations difficiles... ?

À quel moment dans votre vie est-il (sont-ils) survenu(s) ?

. . . .

. . . .

. . . .

Quelles étaient alors les causes de votre épuisement ?

. . . .

. . . .

. . . .

Se poser ces questions va vous permettre de réfléchir et d'identifier les moments cruciaux de votre vie où vous avez été épuisé(e), et de mettre en place des « alertes » pour reconnaître ces périodes critiques et y répondre à temps.

Témoignage de Rachel, 35 ans, Nice : « J'ai appris à repérer mes alertes épuisement »

« J'ai été épuisée autour des 6 mois de mon premier enfant. Les premiers mois s'étaient déroulés sans encombre, je me disais même que David était un bébé facile, qui faisait ses nuits, qui mangeait bien... Et puis autour de 6-7 mois, il a commencé à avoir des coliques. Je ne dormais plus, son père non plus, nous étions épuisés par ses pleurs au point même que l'épuisement nous déconnectait de lui. Nous n'avions plus l'énergie pour avoir de l'empathie pour notre propre bébé ! Parallèlement, mon mari travaillait beaucoup et ma vie professionnelle à moi stagnait, je perdais mon estime de moi-même... Nous avons fini par nous en sortir mais nous avons frôlé le divorce et j'ai même pensé quitter mon travail. Je me disais que j'étais une mauvaise mère de ne pas réussir à rester réveiller pendant toutes les nuits agitées de David... Quand j'ai eu mon deuxième bébé, j'ai pu me mettre en « alerte épuisement ». J'étais déterminée à ne pas laisser cette situation se reproduire car je ne voulais pas revivre les mêmes difficultés ! Mon mari a pris un congé parental et nous avons établi des tours pour les nuits. »

Comme Rachel, analyser ce qui a conduit à l'épuisement, pouvoir comprendre et mettre en place des alertes, permet de mieux réagir face à des situations stressantes. Cela permet d'anticiper !

Inversement, tentez de vous remémorer un moment de votre vie où vous étiez parfaitement en forme. Fermez les yeux et revisualisez-vous à ce moment-là de votre vie. Comment vous sentiez-vous ? Où étiez-vous, avec qui, comment, pourquoi ?

Prenez le temps de répondre à ces questions, une par une, et là encore par écrit. Identifier ce qui vous a « le moins épuisé(e) » dans votre vie permet de vous tourner vers ce que nous appellerons des « périodes ressources ».

Une « période ressource » est un moment de votre vie où vous étiez en pleine possession de tous vos moyens. Il s'agit souvent des années de jeunesse ou des années d'études : « Paradoxalement, je dormais peu et je sortais tous les soirs mais je n'ai aucun souvenir d'épuisement entre l'âge de 18 ans et, au moins, celui de 25 ans », affirme, par exemple, Ismaïl, 41 ans aujourd'hui.

Cet exemple montre que l'épuisement n'est pas forcément lié directement et uniquement au temps de sommeil. Dormir quatre heures par nuit quand on consacre le reste de son temps éveillé à son bien-être, à rire, à faire du sport, à voir des amis, à étudier... peut conduire à un sentiment de bien-être.

Bien évidemment, les études peuvent avoir été un moment épuisant, surtout en période d'examens ou, comme c'est le cas pour beaucoup d'étudiants, à cause d'une situation précaire de dépendance financière par exemple. À vous donc de trouver le moment de votre vie où vous vous sentiez reposé(e)...

Une fois cette « période ressource » identifiée, demandez-vous quelles circonstances propices à votre épanouissement d'alors vous font défaut aujourd'hui :
- facilités matérielles ;
- insouciance (pas de personne à charge) ;
- aucun enjeu de performance ;
- pas de pression financière ;
- beaucoup d'amis autour de vous ?
- Autres : . . . .

Répondre à toutes ces questions va vous permettre de prendre conscience de ce qui vous pèse aujourd'hui, de ce qui vous épuise et vous leste au quotidien.

Le conseil de Cédric

✔ Ce temps de réflexion, d'introspection sur son propre épuisement est un préalable nécessaire. C'est ce temps d'évaluation qui va permettre de prendre conscience de son état d'épuisement et d'en mesurer les risques. Il peut paraître fastidieux, mais chaque personne en état ou en alerte d'épuisement doit commencer par dresser ce bilan qui lui permettra de se positionner pour la suite.

✔ Savoir que l'on est épuisé, c'est déjà un premier pas en direction de la recharge de ses batteries !

Le conseil de Marlène

✔ Ne commencez pas votre réflexion en vous demandant si vous en faites assez ou pas, ou en vous comparant à d'autres, qui vu de l'extérieur, en feront toujours plus que vous... Pensez à votre état, à vos ressentis, à votre fatigue, à votre manière d'appréhender ce que vous avez à faire, plutôt que simplement à la quantité de choses que vous avez à faire. C'est un travail personnel et individuel. Vous seul pouvez évaluer votre degré d'épuisement, et certainement pas votre conjoint, votre boss, ni bien sûr vos enfants !

Je recharge ma batterie

✔ Je prends conscience de mon état d'épuisement.
✔ Je l'analyse et je l'évalue.
✔ Je prends conscience des risques de cet état d'épuisement.
✔ Je le positionne sur ma propre chronologie.
✔ Je me remémore une « période ressource ».

JOUR 2

J'écoute mes besoins

Dans « J'arrête de m'épuiser », il y a le pronom personnel « m' ». C'est ainsi vous qui vous épuisez, ou c'est vous qui vous laissez épuiser. Et si vous vous épuisez, vous êtes votre pire ennemi. Mais bonne nouvelle : vous êtes aussi la solution !

Témoignage de Sébastien, 36 ans, jeune papa épuisé

« Je suis le parfait exemple d'une personne qui s'épuise : je suis épuisé, mais je ne peux pas simplement arrêter de m'épuiser. À 36 ans, je suis papa d'un bébé de 18 mois, et aussi cadre au forfait, et président d'une association de cyclistes. Ma compagne part souvent en déplacement. Il est impossible que j'arrête de m'occuper de mon bébé ou de travailler. Impossible aussi d'arrêter de m'occuper de mon association que j'ai créée. Je ne vois pas où arrêter de m'épuiser. »

La réaction de Sébastien est fréquente et normale. Les personnes qui s'épuisent ont des obligations à remplir et il leur est impossible de renoncer à certaines d'entre elles. Mais arrêter de s'épuiser ne signifie pas : « Je quitte tout et je pars vivre en solitaire sur une plage. » Au contraire, il s'agit de rester aussi occupé tout en limitant l'impact de ses occupations sur l'état d'épuisement.

J'arrête de m'épuiser, ça ne veut pas dire : « J'arrête tout. » Non, j'arrête de m'épuiser, ça veut dire : « Je modifie mon appréhension des événements, des gens, des idées et des situations pour changer leur impact sur moi. »

33

Je saisis ma chance

Et si votre épuisement était une chance ?

Isabelle Lacaton, syndicaliste et musicothérapeute, explique : « L'épuisement professionnel peut être l'occasion de faire le point sur soi-même. Sur ses désirs profonds. Même si l'organisation du travail est souvent en cause, on peut se demander : suis-je bien à ma place dans cet emploi ? Quelle valeur je donne au travail ? De quoi ai-je réellement envie ? Quelles sont mes sources réelles d'épanouissement ? Ne pas s'épuiser au travail c'est bien apprendre à lâcher prise pour éviter de lécher la prise ! Apprendre à dire non, à dire stop. Ne plus "m'épuiser" mais me dire que je "sais puiser" dans mon activité professionnelle ce qui m'apporte du bien-être. En quatre lettres : oser. »

Comme elle, Jean-Eudes a considéré l'épuisement comme une vraie chance de se recentrer !

Témoignage de Jean-Eudes, jeune prof de sculpture à 46 ans

« J'ai passé mes premières années à étudier, à gagner de l'argent, à avoir un statut social tout bien comme on attendait de moi... jusqu'au burn-out. J'ai alors réalisé que l'audit financier, bof, ça ne me branchait pas tant que ça. Et que j'avais très envie de devenir prof de sculpture, alors que je n'en avais jamais fait de ma vie ! Mais ce flash m'est apparu alors que j'étais au fond de mon lit, avec une tension inhumaine, selon les mots du médecin. Si je ne m'étais pas épuisé, je n'aurais jamais eu ce flash. Comme si mon corps se servait de ça pour me passer un message, vous voyez ?

À 46 ans, je suis donc devenu prof de sculpture ! »

Ma femme ne travaillait pas, ça a bien sûr signifié qu'elle devait se mettre à trouver un travail, si elle voulait que nous puissions maintenir notre niveau de vie. Ça ne lui a pas posé de problème, elle commençait à s'ennuyer à la maison avec nos trois enfants. Nous travaillons désormais tous les deux, et avons déménagé pour un plus petit appartement, dans lequel nous prenons le temps de vivre. Ça vaut tous les triplex du monde ! »

J'identifie et je réponds à mes besoins

Pour prévenir l'épuisement, vous devez :
- écouter vos besoins ;
- les identifier ;
- et y répondre.

Si vous vous épuisez, c'est que l'une de ces trois phases a été négligée.

« Aide-toi,
le ciel t'aidera ! »
« Et arrête de t'épuiser,
le ciel arrêtera
de t'épuiser ! »

Pour rappel, nos besoins ont été définis par Maslow dans une pyramide. Ils sont au nombre de cinq :
- les besoins physiologiques (boire, manger, dormir…) ;
- le besoin de sécurité (savoir que l'on ne va pas être attaqué) ;
- le besoin d'appartenance (se sentir faire partie d'un tout, d'un groupe de pairs) ;
- le besoin d'estime (avoir l'approbation de ses pairs dans ce que l'on accomplit) ;
- le besoin de s'accomplir (le sentiment de se réaliser, d'être utile, de donner un sens à sa vie).

Le phénomène de burn-out attaque généralement cette pyramide par le haut : on s'accomplit moins, on perd l'estime et le groupe de pairs, on se sent en danger, en insécurité (menace de perte d'emploi, par exemple) et l'on ne peut plus dormir ni manger correctement.

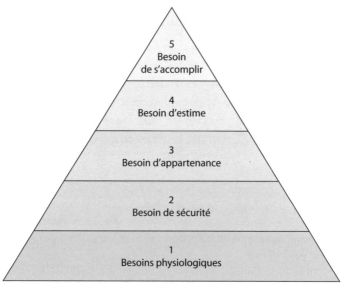

La pyramide de Maslow

 J'identifie mes besoins

Prenez d'abord un stylo et situez-vous sur la pyramide au niveau des besoins qui ne vous semblent pas, de manière générale, satisfaits dans votre situation actuelle.

Puis approfondissez votre réflexion et notez ci-dessous les besoins, physiologiques ou non, que vous n'avez pas satisfaits au cours de votre journée.

Par exemple :
- j'avais soif à midi, mais je n'ai pas bu car je n'avais pas le temps d'attendre la carafe ;
- j'ai retardé ma pause-pipi car je devais finir un dossier ;
- je n'ai pas terminé mon repas car j'étais pressé(e) ;
- je n'ai pas pu m'asseoir dans les transports parce qu'il y avait trop de monde.

À vous :

. . . .

. . . .

. . . .

. . . .

. . . .

. . . .

. . . .

Identifier les besoins auxquels vous n'avez pas répondu au cours de votre journée va vous permettre, dès le lendemain de pouvoir y répondre et de les satisfaire.

C'est un exercice qu'il est bénéfique de répéter tout au long du programme car il va vous aider à vous reconnecter à votre « moi ».

Le conseil de Cédric

✔ Dans le monde du travail, on a tendance à confondre ses besoins et les besoins des autres. Il faut en permanence satisfaire : son patron, ses clients, son manager, ses résultats, ses actionnaires... On peut en arriver à oublier ses propres besoins professionnels.

✔ Le sens du service est une qualité, mais ne noyez pas vos besoins dans ceux des autres. N'ayez pas peur de les exprimer : votre entourage ne peut pas les deviner !

Le conseil de Marlène

✓ Savez-vous différencier vos envies de vos besoins ? Ce n'est pas si facile ! Nous vivons dans une société de consommation, mais aussi dans une société du spectacle, telle que décrite par le sociologue Guy Debord. Nous sommes amenés à penser que nous avons besoin du dernier iPhone et que nous avons envie de manger. Ce schéma de pensée nous amène à perdre le contact avec nos besoins réels, remplacés par des envies superflues. Il suffit de jeter un œil à nos Caddie de supermarchés pour le constater...

✓ Interrogez-vous ! Il n'y a pas de bonne ou de mauvaise réponse, et aucun mal à satisfaire une envie... dès lors que vos besoins le sont aussi ! Autrement dit, envisagez votre vie comme une palette de peintures : vous avez besoin des couleurs primaires pour avoir envie d'une nouvelle teinte à paillettes... La teinte à paillettes (vos envies) seule ne vous servirait à rien sans les couleurs de base (vos besoins).

 Je recharge ma batterie

✔ Je saisis ma chance d'être épuisé (eh oui !).
✔ Je me reconnecte à mes besoins.
✔ Je réponds à mes besoins.

JOUR 3

Je restaure mon estime de moi

La quête épuisante de perfection nous est inculquée en permanence à travers les médias, la publicité, notre éducation, etc. Or, cela va de soi : personne n'est parfait. C'est donc une quête vaine, perdue d'avance.

Or, se situer par rapport à un standard trop difficile à atteindre joue sur l'estime de soi et peut mener à l'épuisement. Pour arrêter de s'épuiser, il est donc primordial de revoir ses standards à la baisse, pour pouvoir les atteindre et être satisfait de ce que l'on a accompli, et donc, de soi.

À propos de l'estime de soi

Savez-vous situer votre estime de vous ?

L'estime de soi se caractérise par quatre grands profils de personnalités, déterminés par Christophe André et François Lelord, psychiatres, *via* leurs travaux de recherches publiés dans leur livre *L'estime de soi. S'aimer pour mieux vivre avec les autres*[1].

Savoir évaluer votre estime de vous permet de comprendre vos réactions et de les mettre en perspective selon les événements que vous avez à traverser.

- **Une estime de soi haute et stable**
Je me trouve exceptionnel, quoi que je fasse.

Avantage : un narcissisme fort et solide qui donne confiance en soi.

---

1. Christophe André, François Lelord, *L'estime de soi. S'aimer pour mieux vivre avec les autres*, Odile Jacob, 2008.

Inconvénient : des possibles difficultés relationnelles, une mauvaise évaluation de ses propres limites (« Je suis toujours capable de… », « Je suis au-dessus de… »).

• Une estime de soi haute et instable

Je me trouve parfois génial, mais il m'arrive de douter et j'ai besoin de l'approbation des autres, de séduire, de convaincre.

Avantage : en « défi » permanent, toujours à la conquête de nouveaux horizons.

Inconvénient : une personnalité parfois cyclothymique qui peut s'épuiser dans la recherche de l'approbation de l'autre au travail et qui, paradoxalement, s'ennuie vite.

• Une estime de soi basse et stable

Je me trouve nul, mauvais, insignifiant, pas à la hauteur.

Avantage : la capacité à se contenter d'une situation donnée, la fiabilité.

Inconvénient : ne cherchera ni à se former ni à progresser, peut s'épuiser en stagnant.

• Une estime de soi basse et instable

C'est le profil le plus complexe, qui peut glisser vers des spirales négatives (épuisement mais aussi dépression).

Une personnalité à l'estime de soi faible et instable remettra toujours en cause ses choix, ne mènera pas ses projets jusqu'au bout…

Je situe mon estime de moi

Prenez un crayon, une feuille de papier et répondez le plus précisément possible aux questions suivantes :

- Comment vous situez-vous par rapport aux quatre grands profils de personnalités décrits ci-dessus ?
- Sur une échelle de 1 à 10, quel est votre degré d'estime de vous ?
- Vous sentez-vous moins estimable lorsque vous êtes épuisé(e) ?
- Pensez-vous que seules les personnes « faibles » s'épuisent ?

Complétez ensuite les deux questions suivantes :

- Je m'estime plus quand je . . . .
- Je m'estime moins quand je . . . .

Il est évident que l'épuisement nuit à l'estime de soi : on se sent faible, incapable d'agir…

Les personnes qui ont une haute estime d'elles, voient leur fondement remis en question lorsqu'elles sont victimes d'épuisement. Elles ne comprennent pas pourquoi elles, si brillantes, si efficaces, ne peuvent plus tenir le choc. Pourquoi la simple volonté ne leur suffit plus pour garder les yeux ouverts, et pourquoi elles ne parviennent pas à se débarrasser de cette migraine qui les empêche d'avancer. Une forme de combat s'engage alors entre leur mental (envie d'agir) et leur corps (besoin de repos). Mais c'est un combat perdu d'avance, puisque le corps ne peut pas agir « à vide »…

De la même manière, les personnes qui ont une estime d'elles-mêmes déjà basse, et qui sont victimes d'épuisement, se verront confortées dans leur vision d'elles-mêmes : « J'avais raison de me penser incapable de… » ou « Je savais bien que j'étais trop faible pour… ».

Dans tous les cas, l'épuisement physique entraîne une remise en question psychologique basée sur une estime de soi souvent erronée, d'où l'importance de mesurer, *via* une véritable évaluation, son degré d'épuisement et de le reconnaître. Ça évite de s'autoflageller parce que l'on n'a pas été capable de rester réveillé pendant trente heures consécutives pour boucler un dossier !

> « Wonder Woman n'existe pas ! »
> « I'm not Superman ! »

La théorie des « moi »

Au pays des « moi », il existe le « moi idéal », le « moi fantasmé » et le « moi réel » !

Au début du xxᵉ siècle, Freud a défini le « narcissisme » et évoqué le « moi idéal ». Puis, Nunberg a poursuivi en évoquant un « moi fantasmé ». Ces concepts finalement très simples permettent de comprendre le fonctionnement de l'ego, qui nourrit l'estime de soi, indispensable à une prise en compte objective de son état d'épuisement.

Le « moi idéal » est la personne que vous aimeriez être, que vous tendez à être.

Par exemple, le « moi idéal » tient sa maison comme Bree Van de Kamp, mène la carrière d'Hillary Clinton tout en ayant le sex-appeal de Shakira. Sauf que c'est impossible.

Le « moi idéal » n'est pas une pathologie tant qu'il est cantonné à une idéalisation : vous êtes alors conscient que cet idéal n'est pas atteignable ou ne vous correspond pas, ce qui ne vous empêche pas de le garder en tête. Mais il peut devenir épuisant lorsqu'il se fond avec le « moi réel » pour devenir un « moi fantasmé ». C'est le cas, par exemple, des personnes publiques qui exercent des métiers exposés au jugement de l'autre. Il est alors plutôt sain de distinguer le « moi idéal » du « moi réel », comme réussissent à le faire certains artistes comme Lady Gaga, Madonna ou M... Cela évite de se « confondre » avec sa fonction, son rôle, son métier. « Lady Gaga » est le personnage fantasmé, le « moi idéal », mais ne se confond pas avec Stefani, véritable prénom de la chanteuse, son « moi réel ». Une distanciation entre l'activité professionnelle de « Lady Gaga » et l'identité personnelle de « Stefani » s'installe, et protège la personne des critiques ou des attentes trop fortes que son public pourrait nourrir.

Inversement, des professions surexposées dans lesquelles l'identité personnelle se mêle à l'identité professionnelle risquent de mal vivre la remise en question inhérente à l'épuisement. C'est le cas des médecins, que l'on appelle « docteur X ». Ils sont ainsi en permanence renvoyés à leur statut. Une femme médecin reçue en formation « Maman travaille » disait ainsi : « Je n'en peux plus d'être le docteur D... Je ne veux plus être docteur D ! Je ne suis pas cette personne ! » Cette phrase est caractéristique du burn-out, du refus d'être « cette personne » (mise à distance de soi) envers laquelle tant de gens manifestent tant d'attentes.

Dans un autre registre, des mères au foyer qui s'entendent appeler « maman » toute la journée et ne sont considérées qu'à travers ce rôle peuvent perdre leur identité de femme et de personne.

Dans son livre *Mère épuisée*, Stéphanie Allenou raconte avoir réussi à sortir de son burn-out au moment où elle a commencé à travailler et à s'entendre appeler « Stéphanie » et pas « maman ».

Lorsque le « moi idéal » se confond avec le « moi réel », le « moi idéal » n'est plus alors un objectif idéalisé vers lequel on essaie de tendre dans la mesure des moyens du « moi réel », mais un fantasme dans lequel on perd sa véritable identité. La difficulté est d'accepter simplement ce que l'on est et de le fondre dans ses rêves !

Ainsi, on peut penser que ces deux personnes, par exemple, ont trouvé un compromis entre leur « moi idéal » et leur « moi réel » :
- En fauteuil roulant, il veut devenir basketteur. Il se tourne vers les « handisports ».
- Elle pèse 90 kg et veut devenir mannequin. Elle devient une star des mannequins « grande taille ».

Témoignage de Sandrine, 28 ans, mère au foyer de trois enfants, ex-Wonder Woman

« Je me souviens parfaitement du déclic de mon burn-out. Ma voisine ne cessait de me dire à quel point elle m'admirait, moi qui élevais trois enfants toute seule — mon mari militaire était rarement à la maison. Un jour, elle m'a appelée Wonder Woman... En rentrant chez moi, sans raison, je me suis mise à pleurer. Je ne me sentais pas du tout Wonder Woman. Je me sentais une femme normale, une personne imparfaite, et j'avais envie d'avoir le droit de vivre ça normalement, de donner des chips au dîner aux enfants et de zapper le bain du soir ! Le soir du retour de mon mari, je suis allée me coucher et je me suis relevée trois jours après. J'ai demandé à tout le monde de ne plus jamais m'appeler Wonder Woman... Cette étiquette était trop dure à porter. La peur de décevoir était trop forte. Et épuisante... »

Je me connecte à mon « moi idéal » et j'accepte mon « moi réel »

Prenez une feuille et un stylo.

Si vous exercez une activité professionnelle, prenez le temps de répondre par écrit à ces questions :
- Mon métier idéal serait : . . . .
- La qualité idéale pour exercer ce métier serait : . . . .
- Mon métier actuel est : . . . .
- La qualité idéale pour exercer ce métier est : . . . .

Si vous êtes parent au foyer, prenez le temps de répondre à ces questions :
- La principale qualité du parent idéal, selon moi, serait : . . . .
- Ma principale qualité en tant que parent est : . . . .

Maintenant répondez, toujours par écrit, aux questions suivantes :
- Quelle est la différence entre la vie idéale et la vôtre ?
- Comment faire en sorte de rendre votre vie plus proche de votre idéal ?
- Qu'est-ce qui vous manque ? Que pouvez-vous changer ?
- Vous épuisez-vous pour changer ce qui ne peut pas l'être ?

Encore une fois, prendre le temps de la réflexion et prendre le temps de noter par écrit vos idées va vous permettre de fixer les choses et de mesurer le chemin parcouru à la fin de ce programme en 21 jours. Ces exercices sont autant de jalons qui marquent votre chemin vers le changement.

« Je crois à la résolution future de ces deux états en apparence si contradictoires que sont le rêve et la réalité. »

André Breton

Le conseil de Cédric

✓ Pour ne plus s'épuiser, il est bon de créer des objectifs par paliers.

✓ Pour poursuivre des objectifs sans s'épuiser, on peut commencer par revoir ses standards en se fixant des paliers réalisables, et marquer une pause à chaque palier.

✓ Un exemple concret ? Si vous voulez être dans le Top 10 des meilleurs commerciaux de votre entreprise, en ayant vendu plus de 50 contrats dans le mois par exemple, fixez-vous des objectifs précis et atteignables : après 20 contrats, ou après avoir atteint le Top 20, je marque un temps de pause en constatant le challenge et en me félicitant par exemple.

✓ Pour tout projet, tout objectif, il est primordial de commencer par se poser et par évaluer la situation, les capacités dont on dispose, les moyens mis à notre disposition, les ressources extérieures sur lesquelles s'appuyer, les différentes étapes... sans les griller !

✓ Cette méthode permet de ne pas courir après un objectif irréaliste alors que l'on est déjà peut-être en alerte d'épuisement : ça ne ferait que nous épuiser davantage et diminuer notre efficacité, donc nous éloigner du but ultime que l'on se fixait initialement !

✓ Pour autant, en se fixant des paliers, on ne « lâche » pas totalement, on se fixe des objectifs que l'on sait pouvoir atteindre : c'est à la fois moins épuisant et plus gratifiant pour soi, car on a la satisfaction d'avoir réalisé des objectifs.

✓ En bref, plutôt que de se dire « On va manger tout le gâteau d'un coup », quitte à s'écœurer, on le mange petite part par petite part, en se disant : « Pour cette part, c'est fait, demain je m'attaque à la suivante ».

Le conseil de Marlène

Pour avancer, je me pose trois questions très simples : qu'est-ce que j'ai ? Qu'est-ce que je veux ? Comment l'obtenir ? Ces trois questions me permettent de ne pas perdre de vue mon objectif et d'éviter de me perdre en chemin. Comme le disent les rappeurs d'Ärsenik : « Trace ta route, lâche pas ton plan » !

Plutôt que de garder en tête un but qui peut me sembler éloigné, je me concentre aussi sur les conditions à réunir pour atteindre ce but. Par exemple : vous voulez publier votre roman. Quelles sont les conditions à réunir pour ça ? Avoir un manuscrit achevé, rencontrer des éditeurs... Une fois toutes les conditions réunies et mises en place, le chemin est ouvert et vous pouvez foncer vers votre but – ou le faire venir à vous... Ce mode de fonctionnement évite de s'épuiser ou de se décourager, et installe un environnement sécurisant.

Cas pratique

Si vous avez un objectif professionnel bien concret, comme par exemple obtenir une promotion, changer de boîte, passer dans un autre service, etc., voici une liste de questions constructives qui vont vous permettre de fixer le contexte, poser des jalons, marquer des étapes pour ne pas disperser votre énergie et vous épuiser à atteindre votre objectif sans méthode ni préparation.

Si vous vous sentez concerné(e) par ce cas pratique, prenez encore une fois le temps de la réflexion et notez par écrit vos réponses aux questions suivantes :

* Quelle est la date butoir de mon objectif ?
* Quelles sont mes chances, *a priori*, de l'atteindre ?

> « L'échec n'est pas le contraire du succès. L'échec fait partie du succès. »

- Comment les augmenter ?
- Qui sont les personnes ressources à mobiliser ?
- Qui sont les personnes toxiques à écarter ?
- Quelles sont les grandes étapes de calendrier et les objectifs qui y correspondent (entretien préalable, examen, oral…) ?
- Sont-elles compatibles avec mon propre calendrier (calendrier familial, calendrier de l'entreprise, engagements associatifs ou personnels…) ?
- Quand pourrai-je marquer des temps de pause, de ressource nécessaire (entre chaque objectif) ?
- Qu'ai-je à gagner à poursuivre cet objectif ?
- Qu'ai-je à y perdre ?
- Que devrais-je y sacrifier (temps, argent, moments en famille…) ?

> « Chi va piano va sano, qui va sano e va lontano. »
> (Qui va doucement va sûrement, et va loin.)

Je place la barre moins haute

Pensez à une chose que vous estimez avoir mal faite, ou ratée, ou réussie en vous épuisant, parce que vous aviez mis la barre trop haut.

Par exemple, vous aviez promis de préparer des stands pour la kermesse de l'école. Or, vous êtes arrivé(e) en retard et vous avez bâclé les stands, vous attirant les foudres des enseignants et les regards en coin de votre enfant.

Comment éviter cela à l'avenir ? En revoyant son standard à la baisse.

L'an prochain, vous n'annoncerez pas que vous tiendrez les stands. Vous annoncerez que vous pourrez aider à installer un stand le vendredi après 18 heures par exemple. Ainsi, vous tiendrez votre promesse et peut-être même pourrez-vous arriver en avance… ce qui vous vaudra la gratitude de chacun !

Je recharge ma batterie

✔ Je prends conscience de mon estime de moi.

✔ J'évalue mon estime de moi.

✔ Je me connecte à mon « moi idéal » et j'accepte mon « moi réel ».

✔ Je me fixe des objectifs par paliers.

✔ Je revois mes standards à la baisse.

JOUR 4

Je dépose mes valises !

On porte tous en nous des choses que l'on ressasse et qui nous épuisent : conflits, disputes, regrets, remords... Autant de souvenirs qui forment des sortes de valises imaginaires que nous nous traînons. Et porter ces valises peut devenir lourd et épuisant.

Revivre en permanence dans sa tête des événements traumatiques, ressasser des bagarres, des moments douloureux, revivre les mêmes rêves désagréables depuis des années... tout cela n'aide pas au repos. Et vous l'aurez peut-être remarqué, mais il peut même arriver qu'en vacances, en période *off*, on arrive à s'épuiser simplement en portant nos valises !

Alors pour arrêter de s'épuiser à traîner nos fardeaux, il est nécessaire de respecter trois temps :
- d'abord identifier ses valises ;
- ensuite les déposer ;
- puis repartir plus léger !

Alors en route pour un délestage émotionnel !

Nos valises imaginaires sont souvent émotionnelles comme nous le découvrons ici, mais parfois elles peuvent avoir un caractère plus matériel (intérieur encombré, lieux et objets chargés d'histoires pesantes...). Nous verrons au Jour 7 comment alléger ces « valises matérielles » grâce au Feng Shui (voir p. 74).

J'arrête de ruminer

Comment désencombrer votre esprit de vos valises émotionnelles, souvent irrationnelles ?

C'est simple, il suffit de pratiquer avec ses tracas comme on pratiquerait en se nettoyant la peau : faire sortir l'impureté.

Pour cela, vous pouvez écrire sur une feuille toutes les pensées ou tous les souvenirs négatifs qui vous épuisent parce qu'ils sont lourds, parce que vous n'osez pas en parler, parce que vous les ressassez (j'aurais dû dire ça..., j'aurais dû faire ça...).

Puis vous brûlez simplement la feuille. Symboliquement, le fait de brûler cette feuille peut réussir à détruire ce qui se trouve dessus.

Mais les valises émotionnelles se transportent aussi souvent la nuit...

Mes rêves me parlent...

Un cauchemar peut véhiculer un message. Parfois, le subconscient passe par les mots et la nuit pour envoyer des messages, comme l'histoire célèbre de la petite fille qui cauchemardait d'un « monocle » chaque nuit, jusqu'à ce que l'on apprenne qu'elle était violentée par son oncle. « Monocle » était une manière de désigner « mon oncle », en transformant le mot et sans accuser nommément une personne de la famille.

Toutes les cultures ou presque se sont penchées sur la question de l'interprétation des rêves. Un rêve en lui-même porte un message que seul le rêveur peut analyser : par exemple, si la couleur rouge a une signification bien particulière pour la plupart des gens, mais que le rêveur y associe quelque chose de différent, il faut suivre l'association du rêveur.

En outre, il faut toujours rester prudent sur l'interprétation des rêves. Freud lui-même disait : « Parfois, une clé est juste une clé ».

Ceci dit, différentes symboliques ont tout de même une valeur quasi universelle, issue de la mythologie, des cultures religieuses, de l'imaginaire collectif... Ainsi, d'un pays à l'autre, on retrouve souvent les mêmes craintes ou angoisses universelles (ou presque) :

- Perdre ses dents : les dents signifient le changement, la nouveauté. Rêver que l'on perd ses dents, c'est un signe que l'on ne s'adapte pas à la nouveauté, que l'on a du mal avec elle.
- Être au milieu d'un incendie : votre « moi » est mis en péril, menacé par un danger extérieur. Vous vous « consumez ».

- Se faire mordre par un chien : cela signifie que quelqu'un nous en veut, que l'on se sent agressé par le comportement d'une personne à notre encontre, que quelqu'un s'apprête à nous attaquer physiquement ou symboliquement.
- Perdre ses cheveux : comme pour Jason, dans la mythologie grecque, perdre ses cheveux signifie que l'on perd de sa prestance, de sa puissance, de son prestige, de sa vitalité, de sa séduction. Cela peut aussi signifier simplement une grande fatigue...

De l'interprétation des rêves

Pour interpréter vos cauchemars ou vos rêves, notez-les d'abord sur un papier. Puis posez-vous les questions suivantes :
- Quel est le thème de mon rêve ?
- Qu'est-ce que le thème de ce rêve signifie pour moi ?
- Est-ce que ça me rappelle une situation que j'ai déjà vécue ?
- Est-ce qu'il me laisse une impression positive ou négative ?
- Ai-je déjà perçu cette impression dans le passé ? Quand ?
- Quel message fait-il passer ?
- Est-ce que je peux agir sur ce message ?
- Comment ?

Explorer vos rêves va vous permettre de ne plus en être prisonnier(ère) et de saisir le message que votre subconscient vous fait passer. Le cauchemar s'en va généralement de lui-même lorsque le message a été entendu.

Témoignage d'Alfred, 52 ans, épuisé par ses cauchemars répétés...

« J'avais trouvé quelque chose de super pour ne plus faire de cauchemars : ne plus dormir. Pendant des années, je suis allé me coucher tard, je me levais très tôt. Si bien que je ne faisais pas un cycle de sommeil complet... Je n'avais pas le temps d'arriver au « sommeil paradoxal » et donc aux cauchemars.

Mais mes cauchemars étaient terribles, j'y revivais des moments douloureux de mon enfance (mon père nous battait, ma mère et moi)... Parfois je me réveillais avec la sensation d'avoir mal, physiquement. J'ai fini par aller voir mon médecin de campagne pour lui parler de ma fatigue, et ce n'est qu'après plusieurs consultations qu'il a compris que je m'empêchais de dormir, que je m'épuisais moi-même... Nous avons alors commencé un long travail de fond pour me débarrasser des cauchemars. Mais pendant des années, je suis resté sans faire le parallèle entre ma fatigue chronique et mon enfance revécue en rêves. »

Pour les enfants, instaurer un rituel au cours duquel le parent « enlève le cauchemar » de l'enfant en faisant le geste de le lui retirer de l'esprit, est souvent efficace. L'enfant peut en retour choisir ses rêves en faisant lui-même le geste de « mettre » des rêves dans sa tête.

Pour choisir le bon rêve...

Maintenant que vous pouvez mieux comprendre le sens de certains de vos rêves, et si vous décidiez tout simplement... de les choisir ?

Si la manière dont les rêves se créent reste encore mystérieuse, il semble que les pensées émises à l'endormissement influent sur le contenu d'un rêve. Essayez donc de vous concentrer en « créant » votre rêve au moment de vous endormir. Par exemple, si vous voulez rêver d'une prairie, fermez les yeux et imaginez cette prairie, avec vous à l'intérieur...

Le conseil de Cédric

Plus on avance dans l'expérience professionnelle, plus on engrange du vécu négatif, potentiellement traumatisant. C'est tout ce qu'il y a de plus normal. Il importe alors de puiser dans cette expérience en arrêtant de se poser la question « Quelle expérience difficile ai-je vécu et combien en ai-je souffert ? », mais plutôt : « Comment ai-je surmonté cette expérience difficile ? » Sur la base de la réponse à cette question, on peut puiser dans son expérience en se disant que l'on surmontera le problème qui survient. C'est en partie le principe de la résilience, que Boris Cyrulnik appelle « l'art de naviguer entre les torrents », qui invite à puiser dans son vécu pour affronter des moments difficiles. Par exemple : j'ai été licencié il y a deux ans, je me concentre sur la manière dont j'ai su m'adapter.

Le conseil de Marlène

- ✓ Il faut regarder ses traumatismes en face. Il faut, pour garder la métaphore de la valise, peser ses valises comme à l'aéroport pour savoir si vous devez les mettre en soute, les garder en cabine ou… les vider complètement !
- ✓ Les grossesses, les accouchements, la maternité sont autant d'occasions de vivre des moments sublimes qui nous transportent de bonheur, mais aussi des épreuves douloureuses qui peuvent nous marquer à vie.
- ✓ La question revient finalement à se demander : quel intérêt ai-je à continuer de ressasser et de m'épuiser ? Si je n'étais pas épuisée, que serais-je en train de faire à la place ?

 ## Je recharge ma batterie

- ✔ J'identifie ce que je ressasse sans cesse et qui m'épuise.
- ✔ Je tente de comprendre ce que me disent mes cauchemars.
- ✔ Je choisis mes rêves.

JOUR 5

J'arrête de culpabiliser

Le sentiment de culpabilité est inhérent à notre société. C'est la chose la mieux partagée du monde occidental ! On le voit d'ailleurs très nettement dans le cadre du blog « Maman travaille », où le thème de la culpabilité fait partie de ceux qui génèrent le plus de réactions de lectrices et de lecteurs. Or, la culpabilité joue sur la santé physique et mentale ! Ne dit-on pas : « Plier sous le poids de la culpabilité » ? Quand vous culpabilisez, n'avez-vous pas tendance à vous courber, à sentir un poids peser sur vos trapèzes ?

Des mécanismes bien en place

D'abord bien sûr, notre culture judéo-chrétienne basée sur la culpabilité fait peser sur nous une pression permanente. L'ensemble des religions d'ailleurs tend à culpabiliser le croyant pour ses péchés et l'incroyant pour sa non-croyance... Le philosophe Roland Barthes écrivait à ce sujet : « J'appelle discours de pouvoir tout discours qui engendre la faute et, partant, la culpabilité. »

Culpabiliser les gens pour leur comportement, ce qu'ils font, qui ils aiment, voire même ce qu'ils pensent, est une manière habile de les tenir à sa merci, tout simplement. D'ailleurs, c'est aussi le mécanisme utilisé par bien des politiciens qui expliquent que « Le peuple ne vote pas comme il faut » ou que « Le peuple ne fait pas l'effort de comprendre ».

Utilisée à toutes les sauces, la culpabilité permet d'arriver à des aberrations comme les grands patrons qui reprochent aux salariés payés au SMIC de leur coûter trop d'argent, par exemple. Si le salarié imagine qu'il représente une « charge » qui met en danger l'avenir de l'entreprise pour laquelle il travaille, il va culpabiliser et accepter de faire plus d'heures, d'être moins bien rémunéré, de revoir ses demandes à la baisse, etc.

Mais la société marchande n'est pas exempte de responsabilité, bien au contraire ! La culpabilisation est un puissant moteur d'achats, et elle est donc utilisée à tout va dans la pub :

- si vous culpabilisez d'être trop grosse, vous achèterez des substituts de repas ;
- si vous culpabilisez de mal considérer votre femme, vous lui achèterez des fleurs ou des bijoux ;
- si vous culpabilisez de ne pas passer assez de temps avec vos enfants, vous leur achèterez des entrées à Disneyland ou des jouets, etc. !

Alors, vous, qui vous fait culpabiliser ? Et pourquoi ? Passons en revue ces situations du quotidien où la culpabilité est en jeu, et voyons comment transcender cette culpabilité, comment faire en sorte qu'elle n'ait plus prise sur vous.

Vous vous séparez et vous annoncez votre divorce à vos enfants ?

Vous culpabilisez, et c'est normal. Vous vous dites que vos enfants vont vivre déchirés entre deux foyers, avec un parent en moins... Mais si vous décidez de voir les choses sans le prisme de la culpabilité, vous pourrez être honnête et vous dire que :

- si cette décision a été prise, par vous ou par l'autre parent, c'est pour de bonnes raisons ;
- il vaut mieux des parents séparés que des parents qui ne s'aiment plus ou pire, qui se crient dessus ;
- de bonnes choses peuvent encore vous arriver ;
- vos enfants auront des parents, ensemble ou pas, là n'est pas l'essentiel ;
- avez-vous fait tout ce que vous pouviez pour que vos enfants soient heureux ? Continuerez-vous à le faire ? Un grand oui ! Alors aucune raison de culpabiliser pour cette situation qui, par ailleurs, concerne un couple sur trois.

Vous rendez un dossier en retard ?

Le temps passe, passe, et une chose en entraînant une autre, vous avez déjà trois semaines de retard sur le rendu de ce dossier très important ! Pire, vous réalisez qu'une dernière touche de relecture est nécessaire et vous aurez donc au bas mot deux mois de retard... Alors vous culpabilisez. Et c'est normal, parce que pour le coup vous êtes vraiment dans votre tort.

Sachant que vous ne pouvez pas remonter le temps :
- vous mettrez toute votre énergie pour rendre ce dossier avec le moins de retard possible ;
- vous identifierez les personnes impactées par votre retard et tenterez de faciliter leur travail pour compenser.

Néanmoins, il ne sert à rien de culpabiliser. Vous avez raté un délai, c'est mal, vous vous excuserez, vous vous expliquerez et serez plus vigilant à l'avenir sur vos délais.

Cela ne changera pas la face du monde. Ou vous étiez fiable auparavant et vous le resterez globalement – tout le monde a droit à une erreur ! –, ou vous étiez tout le temps en retard, et celui-ci sera l'occasion de remettre en question votre mode de fonctionnement pour l'avenir. De l'efficacité, aucune culpabilité !

Vous avez oublié l'anniversaire d'une collègue ?

Samedi dernier, c'était l'anniversaire de votre collègue Emma, qui fêtait ses 30 ans et vous en avait longuement parlé. Vous avez lamentablement oublié :
- vous lui offrirez un cadeau pour vous rattraper ;
- est-ce qu'avoir oublié son anniversaire fait de vous une moins bonne amie ? Non. Chacun peut oublier, la mémoire est faillible. Vous ne vous vexerez pas si elle oublie le vôtre et au lieu de culpabilisez, n'hésitez pas à l'inviter prendre un verre !

Dans la mise en place d'une spirale négative d'épuisement, la culpabilité joue le rôle d'engrais. S'installe alors un cercle vicieux du type : je culpabilise parce que je ne fais pas assez bien telle chose → je m'épuise à vouloir faire mieux, faire plus → je culpabilise de m'épuiser, je ne me sens pas à la hauteur → je m'épuise encore plus → je ne peux pas agir plus → je m'épuise...

Stratégies concrètes de déculpabilisation

La culpabilité émane souvent d'un sentiment d'échec dû à un objectif trop difficile à atteindre. Ainsi, pour enrayer ce sentiment de culpabilité, vous devez d'abord revenir à la racine du problème.

1. Je redéfinis mon objectif

On s'égare et on s'épuise quand on perd son objectif de vue. Il importe de définir précisément avant tout effort, toute prise en main d'un dossier, tout changement dans votre vie, l'objectif que vous voulez atteindre.

Par exemple : obtenir cette promotion, recruter deux personnes de plus, gagner cette élection, faire passer 80 % de mes élèves dans la classe supérieure, etc.

Dans la vie personnelle, c'est aussi valable : trouver un médecin ouvert le samedi, apprendre la propreté à mon bébé, vendre la maison de mes parents pour eux, etc., sont des objectifs réalisables et tangibles.

2. J'évalue mes capacités propres

Attention, il s'agit bien ici d'évaluer vos capacités réelles, pas « dans l'absolu. »

Par exemple, ne pas imaginer que vous pourrez étudier un dossier en trois jours en ne comptant aucun temps de repos, de pauses, ni de sommeil. Il s'agit de remplacer « Je dois être la meilleure » par « Je dois être bonne ». Et afin de ne pas culpabiliser en cas d'échec, il s'agit aussi de faire la part des choses entre « ce que je veux faire » et « ce que je sais faire ».

Par exemple « Je veux vendre la maison de mes parents, mais je suis mauvais commercial », ou bien « Je veux créer un nouveau magazine mais je ne sais pas maquetter les pages », etc. C'est cette analyse, comme un audit de soi-même, qui permet d'identifier ses propres capacités et de déléguer en cas de besoin.

3. J'accorde mon objectif avec mes capacités

Un objectif réaliste est un objectif qualifiable et quantifiable, que vous pouvez mesurer. Si ce n'est pas le cas, c'est que votre objectif n'est pas atteignable. Un sportif qui ferait du saut à la perche ne dirait pas : « Je vise le ciel » mais « Je mets la barre à 3,10 m ».

Par exemple, ne plus viser « Être le meilleur », ce qui renvoie à un absolu, mais « Être meilleur que… », ce qui renvoie à une comparaison tangible ou mieux : être bon sur tel point.

4. **Je mets en œuvre ce qui doit l'être pour atteindre l'objectif et mesurer les résultats**

L'idée est de mettre en place toutes les conditions possibles pour réussir à réaliser votre but, ni plus ni moins. Par exemple, définir un rétroplanning de vos missions en cours ou à venir et pointer régulièrement vos avancées en mesurant les choses accomplies et restant à accomplir.

À bas les autocroyances culpabilisantes !

Nous avons tous des croyances sur nous-mêmes, que l'on appelle des autocroyances et qui peuvent être négatives et nous freiner dans nos actions au quotidien. Elles sont parfois sources de culpabilisation.

Pierre-Henri, 41 ans, est persuadé que si ses enfants partent en colonie de vacances, il va leur arriver un problème.

Inès, 34 ans, pense qu'elle sera remplacée à son travail si elle s'absente.

Steeven, 28 ans, croit que gagner plus d'argent que ses parents lui causera des problèmes.

Ces personnes freinent leur trajectoire de vie par peur d'événements qui ne se sont pas encore produits et qui, peut-être, ne se produiront jamais. « Qui craint de souffrir souffre déjà ! » Il existe plusieurs manières de s'en défaire.

Plusieurs thérapeutes recommandent de claquer des doigts trois fois en disant : « Je remets cette croyance à zéro ! », afin de l'annuler neurologiquement.

Ceux qui ont besoin d'actions pour être convaincus opteront pour la deuxième méthode : il s'agit de simplement provoquer

> « Ce n'est pas parce que les choses sont difficiles que nous n'osons pas. C'est parce que nous n'osons pas qu'elles sont difficiles. »
>
> *Sénèque*

ce qui fait peur pour réaliser soi-même, mis devant le fait accompli, que la peur est infondée.

C'est Pierre-Henri qui récupère ses enfants en bonne santé après une semaine de colo, c'est Inès qui part en vacances et qui réalise que son poste l'attend à son retour, c'est Steeven qui décroche une augmentation et qui parvient à bien gérer son budget.

Pour réussir à bouter la culpabilité hors de soi, un véritable travail d'analyse peut être mis en œuvre. Par exemple, Julie, jeune maman de 32 ans, explique qu'elle culpabilise de reprendre le travail et de faire garder son enfant.

Témoignage de Julie, 32 ans, qui culpabilise de retravailler après la naissance de son enfant

Pourquoi culpabiliser de cette situation si courante ?

En faisant parler Julie, on finit par comprendre qu'elle avait en tête un modèle de la « bonne mère » au foyer. Sa mère à elle a toujours beaucoup travaillé, et elle a souvent entendu ses parents se disputer à ce sujet. Quand on lui demande d'écrire sur une feuille la qualité de la mère idéale, Julie écrit « présente ». On lui demande alors de définir ce mot, et Julie explique que l'on peut être « présente » deux heures par jour si l'on est vraiment à ce que l'on fait avec son bébé, davantage qu'en étant là toute la journée et distraite, mais pas heureuse d'être là.

Finalement, Julie réalise qu'à sa façon, elle est aussi présente pour son bébé et qu'elle correspond donc, contrairement à ce qu'elle pensait, à un modèle de mère idéale ! La simple redéfinition de ses attentes lui a permis d'en prendre conscience.

Je passe au crible ma culpabilité

La culpabilité, comme la peur, est de l'ordre de l'irrationnel. Ce sont des ressentis, sur lesquels vous avez la main. Installez-vous confortablement et réfléchissez à ces questions :

- Avez-vous une autocroyance négative ? Ou même plusieurs ? Si oui, notez-la ci-dessous.

....

- D'où vous vient-elle ?

....

- Vous fait-elle culpabiliser ?

....

- Avez-vous déjà essayé d'y faire face ?

....

- Comment ?

....

- Avec quel résultat ?

....

- Pensez-vous pouvoir l'affronter à nouveau ?

....

- Quelles conséquences graves et irrémédiables en ont découlé ?

....

- Trouvez-vous encore que vous avez des raisons de culpabiliser ?

....

Réfléchir à ces sentiments de culpabilité, parfois diffus mais bien réels, va vous permettre de les mettre à distance et, petit à petit, de les empêcher d'interagir dans vos prises de décision.

1
2
3
4
6
7
8
9
10
11
12
13
14
15
16
17
18
19
20
21

Le conseil de Cédric

✔ En acceptant de ralentir à un moment donné avant l'épuisement, vous évitez un arrêt de travail plus long pour burn-out à toute votre équipe. Alors arrêtez de culpabiliser si vous êtes en arrêt de travail !

✔ Vous pouvez commencer par vous dire : « OK, les autres me remplaceront pendant ce temps-là. Et de mon côté, je vais profiter de cet instant pour me ressourcer, revenir plus fort. Il se peut qu'un jour, un collègue vive la même situation. Ce sera alors à mon tour de le remplacer : c'est à charge de revanche. »

✔ Ne vous rajoutez pas plus de responsabilités que vous n'en avez déjà. Ce n'est pas votre travail, par exemple, de savoir qui va vous remplacer pendant que vous êtes malade. C'est du ressort de votre employeur.

✔ Partir en arrêt maladie, ou en congé, quand c'est nécessaire, est un service que vous rendez aux autres : vous évitez ainsi un départ plus long pour burn-out !

Le conseil de Marlène

✔ Je n'essaie pas de convaincre les autres que je suis fatiguée, quand je le suis. Mon degré d'épuisement ne regarde que moi... Ainsi récemment, je me suis octroyé royalement un lundi *off* après six semaines consécutives de travail soirs et week-ends compris.

✔ Un collègue m'a alors fait la remarque suivante : « Quand je suis malade, moi, je viens quand même. » J'ai choisi de ne pas m'épuiser à lui répondre, ni à le convaincre que je « méritais » ce jour *off*.

✔ Ne vous justifiez pas quand vous voulez ou quand vous devez prendre une journée de RTT ou des vacances. N'entrez même pas dans le débat : « Est-ce que je les mérite ou pas ? », parce que ça validerait ce sentiment de culpabilité !

✔ Faites de même avec vos enfants : les grands sont parfois impitoyables avec leur mère et vous n'avez pas à leur expliquer – sauf si vous en avez envie – pourquoi ou comment vous allez faire une sieste à 15 heures dimanche, alors que d'habitude, c'est l'heure de passer l'aspirateur ou la tondeuse !

Je recharge ma batterie

- ✔ J'identifie ce qui me fait culpabiliser.
- ✔ Je me répète : « J'ai fait de mon mieux. »
- ✔ Je redéfinis mes objectifs.
- ✔ Je décide que fait est mieux que parfait.
- ✔ Je réévalue mes capacités.
- ✔ J'accorde mes objectifs à mes capacités.
- ✔ Je me débarrasse d'autocroyances négatives.

JOUR 6

Je transforme ma jalousie

La jalousie et l'envie sont deux sentiments négatifs assez courants qui, lorsqu'ils prennent trop de place, puisent dans nos ressources et peuvent nous laisser complètement vidés alors que nous n'avons rien fait de fatigant !

Se comparer sans cesse, se juger « moins bien que… » ou « menacé par… », reluquer en permanence ce qu'a son voisin, contribue à épuiser complètement les personnes déjà en alerte de burn-out. Le cercle vicieux s'installe définitivement lorsque l'on s'épuise et que l'on juge les autres meilleurs que nous parce qu'eux, au moins, ne s'épuisent pas !

Le complexe du préjudice

Pourquoi lui et pas moi ?

Le complexe du préjudice se caractérise par le sentiment d'avoir toujours été floué, de vivre un préjudice. On appelle souvent ces personnalités des « Calimero », qui demandent pourquoi ça leur tombe dessus.

Par exemple au restaurant, ils pensent que leur commande a été donnée à quelqu'un d'autre, que leur voisin a un plus gros morceau de tarte, que s'il n'y a pas de place pour eux, c'est parce qu'on leur en interdit volontairement l'accès.

Dans la vie professionnelle, les individus qui souffrent du complexe du préjudice se demandent en permanence pourquoi eux, ils n'ont pas réussi à obtenir ce poste, ce dossier, cette affectation…

Ce complexe est épuisant pour les autres mais aussi épuisant pour soi ! On se « ronge » de jalousie, on se « consume » par envie !

S'il est encore difficile d'expliquer l'origine de nombreuses pathologies, certains médecins n'hésitent pas à attribuer les ulcères gastriques à l'excès de bile, parfois sécrétée par jalousie.

Il est donc urgent de couper court à ce sentiment toxique et de renouer avec des relations plus sereines. Tenter de dépasser ce sentiment d'envie et de jalousie pour en faire un moteur puissant et aller de l'avant, c'est possible, et c'est ce que nous allons découvrir maintenant.

Une question de neurones

Le professeur Jean-Didier Vincent, neurobiologiste, explique dans un dossier du magazine *Le Point* (du 10 octobre 2014) les mécanismes de la jalousie : sur le cortex préfrontal convergent les connexions avec les autres cortex et les neurones dits dopaminergiques (en clair, tout ce qui s'occupe de nos passions). Ce cortex gère, dans le cerveau, à la fois l'empathie et la haine. Le sentiment de jalousie, d'envie prend sa source dans ce cortex où se croisent admiration et détestation. Il s'explique donc de manière tout à fait scientifique. C'est d'ailleurs le même mécanisme neuronal qui se trouve à l'origine d'hallucinations auditives, par exemple !

En Italie, dans les années quatre-vingt-dix, Giacomo Rizzolati a mis en évidence les « neurones miroirs[1] » suite à des recherches sur les macaques. Son équipe a démontré que les mêmes neurones sont activés lorsque l'on agit et lorsque l'on observe :

- j'observe une action chez quelqu'un d'autre ;
- cette action correspond à un manque chez moi (je ne sais pas faire ça, je m'interdis de le faire, je n'ai pas les outils pour le faire...) ;
- le manque génère un sentiment d'envie de l'action.

« La jalousie naîtrait de ce mécanisme qui explique que nous éprouvons souvent les mêmes désirs que ceux qui nous entourent, en particulier quand ils représentent des modèles pour nous. Ainsi nous désirons d'autant plus un objet qu'il est convoité, ou déjà la propriété d'une personne qu'on admire », explique Marie Muzard[2].

---

1. Pour plus d'informations sur les « neurones miroirs » : www.automatesintelligents.com/labo/2005/mar/neuronesmiroir.html
2. Marie Muzard, *Very bad buzz*, Eyrolles, 2015.

C'est surtout évident chez les tout-petits qui veulent « piquer » le jouet des copains : l'intérêt, pour eux, n'est pas l'objet mais l'intérêt que le copain porte à l'objet !

Le sentiment de jalousie peut entraîner ainsi deux réactions :

- Je me mets à jalouser, à détester la personne qui a « ce qui me manque ». C'est le schéma épuisant par excellence, parce qu'il tourne à vide avec du ressentiment et des ondes négatives.
- Je veux avoir ce que la personne jalousée a, et qui me manque.

C'est à partir de cette seconde réaction qu'il est possible d'aller au-delà du sentiment négatif pour en faire un moteur. Cette réaction plus constructive est d'ailleurs l'un des moteurs de l'innovation et de certaines réussites professionnelles. Elle construit quelque chose. Elle va permettre de se poser les bonnes questions pour avancer et de mettre en place les actions à mener pour atteindre le but de notre convoitise (voir l'exercice ci-dessous). Il s'agit là de transformer sa jalousie en action, et pourquoi pas en collaboration lorsque la situation le permet. C'est aussi l'occasion de faire un temps de pause et de le mettre à profit pour faire un bilan de ses propres compétences, de ses qualités et de ses atouts. En revanche, attention à se fixer des buts bien précis et à ne pas vouloir sans cesse ce que les autres ont car il y aura toujours plus talentueux, plus riche, plus « réussissant » que vous.

Je me réjouis du succès des autres !

Identifiez dans votre entourage une personne que vous admirez profondément, et que vous jalousez aussi un peu ! Vous savez, cette personne qui réussit tout, tout le temps...

Pensez à elle.

- Comment l'imaginez-vous ?
- Quelles sont les qualités dont vous parez cette personne et qui vous font défaut ?
- Êtes-vous vraiment certain(e) qu'elle ait ces qualités ?
- Êtes-vous vraiment certain(e) que ces qualités vous manquent ?

- Qu'est-ce qui fait selon vous que cette personne réussit là où vous échouez ?
- Partez-vous avec les mêmes chances ?
- Vous donnez-vous les mêmes moyens ?
- Citez une qualité que vous avez et que cette personne n'a pas.
- En quoi la réussite de cette personne freine-t-elle votre réussite à vous ?
- Comment puis-je m'inspirer de la réussite de cette personne ?

> « De manière générale, ne parlez jamais inconsidérément de qui que ce soit. »
> **Mazarin**

Après avoir répondu à toutes ces questions, vous réaliserez que non seulement cette personne n'est pas forcément « meilleure » que vous, mais surtout, vous réaliserez que peu importe ! La réussite de l'un ne nuit pas à celle de l'autre. Au contraire, elle peut vous inspirer, vous faire rêver !

Le conseil de Cédric

- ✓ La réalité du travail d'autrui n'est pas toujours celle que l'on imagine...
- ✓ La jalousie et l'envie sont des problèmes par rapport à soi, avant d'être des problèmes par rapport aux autres. La bonne nouvelle, c'est que l'on peut donc travailler dessus !
- ✓ Concernant la jalousie, on ne peut pas changer le comportement des autres, il faut donc changer son ressenti par rapport à ce comportement.
- ✓ Concernant l'envie, par exemple lorsque l'on envie quelqu'un qui semble réussir mieux que soi, il importe de s'interroger sur ce que l'on envie réellement : est-ce son activité, son statut social, sa reconnaissance, son salaire, sa carte de visite, son costume... Que connaît-on réellement de cette personne et que projette-t-on sur elle ? La réalité du travail ou des revenus d'autrui n'est pas toujours celle que l'on imagine.
- ✓ Quand bien même quelqu'un réussirait professionnellement là où nous échouerions, on peut toujours se donner les moyens d'atteindre une réussite similaire, en tentant d'identifier ce qui a permis la réussite de l'autre et en essayant de faire pareil avec ses propres atouts.

Le conseil de Marlène

✔ J'ai la chance d'avoir été élevée par un père qui ignore totalement le sentiment d'envie. Il nourrit une aversion sincère pour les commérages et sa devise est : « L'homme heureux n'a pas de chemise. » Jamais nous n'avons entendu une conversation sur « Les voisins gagnent plus que nous et paient moins cher leur logement », comme c'est trop souvent le cas dans bien des familles. C'est sans doute dû à la mentalité des montagnes corses d'où nous venons, où chacun s'occupe de son troupeau et les sangliers seront bien gardés ! Par ailleurs, mon père est historien spécialiste du babouvisme, qui est (pour résumer très vite) une théorie de l'égalitarisme absolu. Alors non, vraiment, l'envie des gains des autres : pas chez nous !

✔ Mais si, moi, j'ai échappé à ce sentiment d'envie, avec les enfants, on le sait pertinemment, c'est toujours mieux ailleurs ! La maman de Juliette est toujours à l'heure à l'école, la maman de Chloé n'oublie jamais le sac de piscine, le papa de Stacy accompagne les sorties scolaires et en plus, les parents de Timothée lui ont offert un téléphone pour son anniversaire. Et moi... je rends souvent les dossiers d'inscription en retard, ou sans la photo d'identité, ou je les remplis au feutre vert dans la cuisine à 8 h 19, le matin même, parce que je ne trouve plus le stylo. Je le vois dans les rencontres « Maman travaille », nous avons toutes le sentiment que la mère d'en face est meilleure que nous !

✔ Finalement, après avoir passé des années à réfléchir au concept de « bonne mère » – et de « mère suffisamment bonne » comme l'a édicté Winnicott –, je pense être une « mère médiocre », telle que décrite par Élisabeth Badinter, mais une très bonne maman, selon mes enfants.

✔ Donc j'accepte mes défauts, je valorise mes qualités, mes filles savent que très probablement, je serai le dernier parent à apporter le livre couvert à la rentrée ou le tutu de la bonne couleur à la danse. Elles savent qu'avec papa on est en avance à l'école et qu'avec maman on arrive pile pour la cloche parce qu'elle était sur son ordinateur avant de partir – mais elles savent aussi qu'en rentrant le soir, nous danserons sur la musique des Blues Brothers, je leur lirai *Le Livre de la jungle* jusqu'à ce qu'elles s'endorment, et que je trouverai toujours de nouvelles recettes rigolotes à faire ensemble !

✔ Je ne cherche plus à être la meilleure mère du monde, celle qui allaite le plus longtemps ou qui amène ses enfants à 43 activités extrascolaires consécutives le mercredi. Je m'intéresse plus à la relation que nous entretenons mes enfants et moi, et aux belles personnes qu'elles sont en train de devenir.

Je recharge ma batterie

✔ Je décide de changer de disque et de couper court à cette jalousie qui me ronge.

✔ Je comprends que ma convoitise peut devenir un moteur.

✔ Je relativise mon admiration sans bornes pour autrui.

✔ J'identifie mes qualités propres.

JOUR 7
Je réinvestis mon environnement

En dehors des gens et des situations, les lieux peuvent parfois épuiser... Vivre dans une grande ville, par exemple, avec du monde partout, fatigue. Mais une fois de retour chez soi, encore faut-il que le repos et le silence soient garantis ! Sans oublier aussi que votre lieu de travail peut également être source de nuisances, sonores entre autres, qui alimentent en continu votre épuisement.

Témoignage de Katie et de Farid, 31 et 34 ans, tous les deux habitant à Marseille

« Pour aller travailler, nous devons passer par le Vieux Port. Il y a encore dix ans, c'était plutôt paisible, mais désormais, d'avril à octobre, c'est une file d'attente incessante de personnes sur le point de prendre des navettes maritimes, un flot de touristes envahissant et une grande place noire de monde. Quand on réussit à traverser, on a ensuite deux artères à franchir, et une fois chez nous après ces vingt minutes de marche, on a la sensation d'avoir réussi un marathon ! »

Vous vous sentez concerné ? Pas de panique, vous pouvez reprendre la main sur votre environnement de façon directe et efficace. Mais avant de vous lancer, sachez qu'il est bon au préalable d'identifier trois sortes de bruits :

• il y a les bruits contre lesquels vous ne pouvez rien (fond sonore d'une ville, le bruit du bus au démarrage...) ;

- il y a les bruits contre lesquels vous pouvez agir indirectement (vos gentils voisins et vos gentils collègues, par exemple) ;
- et il y a les bruits dont vous êtes responsable (vos appareils électriques, les décibels lorsque vous appelez à table...).

Partant de là, il est possible d'agir sans perdre toute son énergie souvent déjà bien entamée.

Au bureau

À moins d'avoir sa propre pièce au fond d'un long couloir avec une porte bien fermée sur laquelle il est aimablement demandé de toquer avant d'entrer, il est vraisemblable que votre environnement de travail soit source de nuisances ! Entre lumières agressives et climatisation, les installations ne sont pas toujours au top de ce qu'elles devraient être.

Voici donc quelques conseils de bon sens (mais parfois il paraît qu'il se perd !) pour améliorer votre qualité de vie au travail et minimiser l'impact de votre environnement sur votre état de fatigue :
- Dans la mesure du possible, maintenez la température entre 17 et 20 degrés dans votre bureau. Si c'est un chauffage collectif, contactez le service adéquat !
- Éteignez les néons agressifs pour les yeux et privilégiez les lumières douces et individuelles (à commander si nécessaire).
- Si vous travaillez sur un écran, ajoutez un filtre dédié sur votre ordinateur.
- Désactivez la clim si possible, sauf si la chaleur est totalement insupportable. Et si vous travaillez dans un endroit climatisé, prévoyez un petit gilet fin à retirer si besoin.
- Buvez plus et mouchez-vous plus souvent si vous travaillez sous une climatisation.

Si comme de très nombreux salariés, vous travaillez sur des plateaux en open space, il vous faudra respecter d'abord vous-même certaines règles de base, si vous voulez attendre des autres qu'ils les respectent, et améliorer ainsi votre cadre de travail :
- Mettre son téléphone en vibreur (ou l'éteindre) et privilégier les SMS. Dans le même esprit, garder ses conversations privées... privées. La vie en vase clos incite en effet les gens aux commérages, et il vaut mieux

ne pas leur donner du grain à moudre. En outre, vos problèmes ne regardent que vous, tout comme vos joies. « Mon boss criant dans son kit mains libres : "Quinze jours à Dubaï ! Waouh !", c'était exaspérant pour nous qui n'avions pas de vacances cet été-là », se souvient Alfred, qui depuis prend garde lui aussi à passer ses appels personnels en dehors des heures de travail.

- Ne pas rire à gorge déployée pendant que votre collègue négocie avec un client au téléphone, et ne pas crier à travers l'espace-temps quand vous vous adressez à un collègue. Levez-vous pour lui parler de visu (ou à défaut envoyez-lui un mail).
- Ne pas manger de plats odorants sur place et penser à ouvrir la fenêtre pour aérer et renouveler l'air régulièrement (dans la mesure du possible).
- Demander à nos voisins l'autorisation d'installer des bougies parfumées ou du parfum d'ambiance.
- Utiliser les mailing-lists ou les tchats internes pour poser des questions à la cantonade du type : « Qui déjeune au bar d'en bas ? »
- nettoyer derrière soi la table ou le micro-ondes, laver ses tasses (et non les laisser pourrir dans le lavabo des toilettes).
- Fermer la porte quand on commence une réunion afin de ne pas en faire profiter l'ensemble de l'étage.
- Ne pas rester sur place pendant la pause : l'organisme a besoin de mettre fin aux brouhahas incessants perçus par votre pauvre cerveau pendant une heure au moins.
- Y aller mollo sur le parfum ou l'eau de toilette : des effluves de patchouli peuvent être à l'origine, sinon d'un licenciement, au moins d'une guerre de tranchée entre collègues !

Je revois mes habitudes

Que vous travailliez en open space ou pas, vous êtes amené(e) au quotidien à partager des espaces communs et cela demande un peu de discipline personnelle si vous voulez faire bénéficier la communauté de bonnes pratiques et d'harmonie pour un mieux-être partagé au travail.

Alors répondez sans tricher aux questions suivantes et prenez conscience de ce que vous pouvez améliorer :
- Que faites-vous en open space (ou en bureau partagé) qui épuise vos collègues ?

- Comment pouvez-vous le modifier ?
- Qu'est-ce qui vous épuise dans votre environnement de travail ?
- Comment pouvez-vous le modifier ?
- Qui peut vous aider à améliorer cela (collègues, clients, hiérarchie, syndicats...) ?

Témoignage de Marie, chef de pub et mère de deux enfants

« Je mets la sonnerie de mon téléphone portable en vibreur ou en silencieux, et si je dois vraiment répondre, je quitte le plateau. Au moment de mon divorce, je recevais souvent des appels virulents de mon ex qui hurlait. Une collègue m'a fait une remarque disant que ça jasait dans mon dos. Désormais, pour qui que ce soit, je m'isole. »

Témoignage d'Annette, assistante de direction

« Je travaille pour le DG d'une très grosse entreprise. Ma voisine de face travaille pour le P-DG, alors forcément, elle se croit tout permis, y compris manger des plats chinois en sauce horriblement odorants : piquants, curry, crevettes... uniquement des choses tenaces et avalées dès 11 heures du matin de préférence, pour consacrer ses heures de pause déjeuner au retour de son boss. Un jour, moi qui avais pris l'habitude de me taire et d'ouvrir la fenêtre en grommelant intérieurement, j'ai dit de but en blanc à ma collègue que ses plats puaient. Elle ne s'en était tout simplement pas aperçue ! Depuis nous déjeunons souvent dehors, ou nous prenons une salade de pâtes ensemble. Et elle m'a offert une bougie parfumée à Noël... en m'expliquant que, elle, c'est l'odeur de mon encens au patchouli qui l'incommodait ! »

Dans les transports

Est-il vraiment possible d'arrêter de s'épuiser dans les transports ? Car il faut bien reconnaître que les transports épuisent parfois plus que le travail lui-même… (1 h 10 en moyenne par personne et par jour en France !).

Voici néanmoins une liste de petits réflexes à acquérir pour prendre soin de vous et qui contribueront à leur mesure à atténuer la sensation de fatigue extrême que l'on ressent parfois pendant ces trajets interminables :

- Dans la mesure du possible, changer les trajets habituels pour éviter la routine : prendre une autre correspondance, une autre rue que l'on ne prenait pas habituellement, etc.
- Pourquoi ne pas faire une pause ? Si le bus, le tram ou le métro sont remplis et oppressants, et si vous n'êtes pas pressé, sortez et marchez quelques instants pour vous aérer.
- Repérer les rames moins pleines, quitte à laisser passer un bus, un tram ou un métro et monter dans le suivant en pariant qu'il sera moins bondé.
- Se prévoir des activités agréables qui permettent de faire passer le trajet plus vite : lire un livre, écouter de la musique, tricoter, faire des sudokus… Tout ce qui vous détend habituellement.
- Sauf impératif majeur, ne pas se stresser sur le temps de trajet : un retard n'est jamais dramatique.
- Si vous êtes souvent en panne, prévoir une marge de dix minutes pour palier aux éventuels retards sans trop vous angoisser.
- Inutile de vouloir « rentabiliser » le temps de transport à tout prix : terminer un dossier dans le tram n'est pas un gage de qualité mais plutôt une source d'agacement (feuilles qui s'envolent, iPad volé, etc.).

Même si votre trajet est long et éreintant, vous finirez bien par arriver dans votre *home sweet home*, et là aussi vous pouvez agir pour plus de sérénité et moins de tension.

À la maison

Le Feng Shui nous enseigne qu'un esprit ordonné, clair et libre ne peut pas s'épanouir dans un environnement où les énergies (les *shi*) stagnent, et circulent mal, et où les mauvaises ondes demeurent.

Une maison encombrée de trop d'objets se révèle néfaste : une accumulation d'objets de toutes sortes trop importante entraînent souvent une perte de temps et d'énergie (il faut les nettoyer, les dépoussiérer, les déplacer...), sans compter l'angoisse de les casser...

Pour éviter cela et pour désencombrer votre univers, voici une liste de quelques habitudes et astuces simples à appliquer :

- Laissez à disposition dans les chambres des enfants un panier « à donner », qu'ils rempliront de jouets dont ils ne veulent plus ; et allez les déposer au Secours populaire. Faites la même chose avec la vaisselle, les vêtements...
- Videz régulièrement votre bibliothèque et donnez les livres aux « free librairies » qui fleurissent en extérieur, ou créez-en une ! Sinon, les médiathèques et les écoles seront ravies d'en recevoir...
- Organisez des « vide-dressings » avec vos voisins ou amis pour échanger, troquer ou donner des vêtements trop petits ou qui ne vous plaisent plus.
- Jetez les objets cassés, irréparables, ou que vous avez en double...
- Chaque week-end, fixez-vous un objectif du type : je trie et je trouve trois objets à jeter, à donner ou à vendre !
- Prenez l'habitude de fermer les portes des pièces d'eau pour éviter la déperdition symbolique d'énergie.
- Éteignez les appareils électriques la nuit, débranchez-les, ne les laissez pas en veille.

Par ailleurs il existe aussi des lieux néfastes, angoissants et chargés d'une émotion particulière. La romancière Tatiana de Rosnay l'a décrit dans son livre *La mémoire des murs*, et c'est un ressort inépuisable pour les scénaristes de films d'horreur !

Que l'on croit ou non aux histoires de maisons hantées, de cimetières indiens, nous avons tous déjà éprouvé la sensation d'entrer dans un hôpital, dans une maison de retraite en y ressentant quelque chose d'indescriptiblement négatif...

En Feng Shui, on apprend à « purifier » les lieux et certains rituels superstitieux méditerranéens invitent à faire de même : il peut s'agir de jeter du gros sel dans les coins, de suspendre des gousses d'ail aux murs. Sans aller jusque-là, brûler du papier d'Arménie peut libérer des énergies.

Ainsi, on recommande de purifier l'air de sa maison en respectant quelques règles comme :

- ouvrir tous les jours les fenêtres et aérer dix minutes par jour ;
- placer des bols de gros sel marin qui capture les énergies néfastes, puis les jeter (avec les énergies négatives) ;
- accrocher des harpes éoliennes dans les endroits de passages ou venteux pour faire mieux circuler l'air ;
- installer des plantes dépolluantes dans les angles, où l'air stagne ;
- frapper dans les mains dans les pièces dont vous voulez changer l'énergie, en gardant les fenêtres ouvertes pour chasser les énergies négatives stagnantes.

L'air ainsi renouvelé devrait cesser en théorie d'être lourd et étouffant, et donc, épuisant. Le Feng Shui traite de la circulation libre des énergies (le *chi*, le « souffle vital ») et est donc en rapport direct avec l'épuisement, la maladie du manque d'énergie.

Voici quelques règles de base pour des pièces où l'énergie circulera bien, à savoir votre bureau et votre chambre.

- Le bureau parfait, selon les règles du Feng Shui :
- Comme les joueurs de poker et les mafieux, les adeptes du Feng Shui aiment avoir leur bureau face à la porte, pour voir ceux qui arrivent.
- Y installer une plante verte (non coupée) type « Lucky Bambou » qui porte bonheur.
- Éviter de placer son bureau face à un mur.
- En Feng Shui, la capacité d'apprentissage et de motivation se trouve au Nord-Est : c'est l'endroit idéal pour installer le bureau des enfants ou des étudiants. L'autorité, elle, se trouve au Nord-Ouest...

- La chambre parfaite, selon les règles du Feng Shui :
- Le lit ne doit pas se trouver face à la porte (fait fuir l'énergie) ou sous une poutre (qui coupe l'énergie).
- La tête de lit dirigée vers le Nord favorise un sommeil profond et réparateur (certaines écoles de Feng Shui privilégient cependant la tête vers l'Est, qui favoriserait un réveil plus facile. À vous d'essayer !).
- On privilégie les meubles en bois brut et les couleurs « terre » (ocre, taupe, etc.).
- Aucun miroir ne doit refléter le lit ou les dormeurs (le miroir « vole » l'énergie en la renvoyant dans son reflet).

- On voile les fenêtres face au lit et les écrans (télévision, ordinateurs) préalablement débranchés pour éviter les accidents.
- On évite les photos de personnes autres que celles qui dorment dans la chambre.
- On bannit tout ce qui est lié au sport (vélos d'appartement, bancs de musculation, haltères, rollers...).
- Pour préserver l'harmonie du couple, les objets vont par paire. On évite absolument les objets par trois.
- La chambre à coucher ne doit donner vers aucune pièce d'eau. Si vous avez un lavabo ou une salle de bains attenante, fermez bien la porte au risque de faire fuir les énergies.

« Less is more ! »
(Moins, c'est mieux !)

Il va sans dire qu'une chambre agencée selon des règles du Feng Shui est propice à un sommeil réparateur (voir Jour 21, p. 211).

Quant aux couleurs, il faut savoir qu'en Feng Shui le rouge renvoie à l'énergie, le bleu au calme et à l'apaisement, le vert à la création, le crème à la paix... Il est également possible d'agir sur les énergies en choisissant ses couleurs selon les règles du Feng Shui[1].

 Attention : bordéliques épuisés par le rangement, c'est pour vous !

→ Bien évidemment, le Feng Shui est un « idéal ». Certaines personnes se sentent à l'aise dans un environnement chargé, et c'est leur droit de ne pas s'épuiser à ranger dans la mesure où ça ne contribue pas à ce qu'elles se sentent mieux, et que ça ne les épuise pas (chercher les papiers, par exemple). D'ailleurs, une étude parue en 2008, menée par le professeur en management Abrahamson, a démontré que les personnes bordéliques travailleraient mieux que les personnes ordonnées. Dans le désordre (forcément), elles gagneraient 36 % de temps en s'évitant les rangements trop longs, développeraient une créativité quotidienne (on trie par pile et pas par dossier par

---

1. Merci à Marie de Kergallec, décoratrice Feng Shui en Bretagne. Pour plus d'infos sur les origines du Feng Shui : effet-feng-shui.fr et pour plus d'infos sur les liens entre couleurs et orientations géographiques : www.le-fengshui.com/couleurs.html

exemple) et feraient davantage marcher leurs neurones (dans la recherche d'objets perdus ?)

→ Concernant la totalité des raisons d'être bordélique, voir le blog « Maman travaille » : yahoo.mamantravaille.fr/maman_travaille/2010/09/10-bonnes-raisons-d %C3 %AAtre-bord %C3 %A9lique-au-bureau.html

J'ose modifier mon environnement quotidien

Parfois, un simple changement de perspective peut tout changer ! Souvenez-vous dans *Le cercle des poètes disparus*, quand Robin Williams lance à ses élèves : « Bien sûr, debout sur mon bureau, on voit les choses différemment ! »

• Et si vous osiez changer votre bureau de place ? Faites le test.

. . . .

. . . .

• Avez-vous pensé à installer des rideaux ? À en changer ?

. . . .

. . . .

• Pouvez-vous améliorer les sources de lumière, en privilégiant des lumières diffuses et indirectes et en bannissant les néons ?

. . . .

. . . .

• Si vous pouviez changer le mobilier, par quoi commenceriez-vous ? Le trouvez-vous trop massif, trop peu assorti ?

. . . .

. . . .

• Pourquoi ne pas habiller les angles avec des plantes en pots diffusant de l'oxygène ?

. . . .

• Et si vous jetiez tous les objets cassés, abîmés, toutes les décorations inutiles ou que vous ne voyez même plus ?

. . . .

Le conseil de Cédric

- ✔ Accumulez les informations pour changer de ville !

- ✔ Si vous envisagez une mutation pour changer de ville, n'hésitez pas à vous tourner vers des professionnels des changements de lieux ou de ville. Le magazine *L'Express* édite chaque année un guide à destination des Franciliens qui souhaitent partir en province. Le blog d'Yves Deloison, toutpourchanger.com, fourmille aussi de bonnes idées et de témoignages pratiques sur ce sujet.

- ✔ N'hésitez pas à prendre votre temps pour choisir votre destination et à faire savoir à votre hiérarchie que vous êtes ouvert à toute mobilité possible, afin que l'on pense à vous directement si une antenne ou un poste s'ouvre dans une des villes que vous visez.

- ✔ Vous pouvez aussi contacter des collègues ou anciens collègues qui ont sauté le pas : cela vous permettra de savoir comment ils s'y sont pris et d'avoir un retour sur la manière dont ça se passe pour eux là-bas : est-ce vraiment moins épuisant ? De quoi est faite leur journée classique ? Etc.

Le conseil de Marlène

- ✔ Je sais très exactement à quel moment j'ai arrêté de m'épuiser : en emménageant au Mans. Pourtant, je n'ai pas arrêté mes activités, loin de là puisque ça correspond à mes débuts d'engagement comme élue locale. Mais depuis désormais plus d'un an et demi, je ne trépigne plus. À Paris, j'avais le sentiment de piétiner même si j'agissais beaucoup et j'évoluais vite professionnellement. Au Mans, j'ai le sentiment d'avancer, tout simplement.

- ✔ Mon conseil ? N'attendez pas pour changer votre rythme de vie. Si votre corps vous envoie des signaux d'alerte pour vous dire que vous n'êtes pas en phase avec votre fuseau horaire, changez-en. Pour ma part, je n'ai qu'un seul regret : ne pas avoir osé le faire avant ! Aujourd'hui, Le Mans est une des clés de mon équilibre. »

Je recharge ma batterie

✔ J'identifie les bruits sur lesquels je peux agir.

✔ J'adopte les bonnes attitudes sur mon lieu de travail pour ne pas épuiser les autres, et m'épargner aussi.

✔ J'essaie de transformer mes temps de transports en temps de détente.

✔ Je désencombre mon intérieur grâce au Feng Shui.

✔ Je revois l'agencement de mon bureau et de ma chambre selon les règles du Feng Shui.

Bravo ! Vous avez terminé le programme de la première semaine.

Si vous avez bien effectué tous les exercices de ces sept premiers jours, vous avez sans doute réussi à agir sur les sources internes de votre épuisement.

Pour consolider le changement qui commence à s'amorcer dans votre quotidien, nous vous proposons un dernier challenge qui sera de vous coucher 21 minutes plus tôt qu'à votre habitude. Ce « défi du sommeil » a été repris en 2010 par Ariana Huffington (cofondatrice du *Huffington Post*). Elle propose aux femmes le challenge de dormir plus, partant du constat que le sommeil sera le prochain combat féministe !

Pour relever ce challenge, vous devrez :

1. Noter votre heure de coucher habituelle en semaine (par exemple 23 h 15).
2. Retrancher 21 minutes (soit 22 h 49).
3. Aller vous coucher systématiquement à 22 h 49, toute la semaine. Vous gagnerez ainsi 21 minutes de sommeil en plus chaque nuit.

Pour le week-end, même principe. Si vous vous couchiez habituellement à 2 h 20 du matin, couchez-vous désormais à 1 h 59.

Notez ci-dessous les heures auxquelles vous vous êtes couché et les heures de vos réveils pendant 21 jours.

Jours	Heure du coucher	Heure du réveil
Lundi		
Mardi		
Mercredi		
Jeudi		
Vendredi		
Samedi		
Dimanche		
Lundi		
Mardi		
Mercredi		
Jeudi		
Vendredi		
Samedi		
Dimanche		
Lundi		
Mardi		
Mercredi		
Jeudi		
Vendredi		
Samedi		
Dimanche		

JOUR 7

1
2
3
4
5
6
8
9
10
11
12
13
14
15
16
17
18
19
20
21

Puis faites le bilan :

- Avez-vous réussi à vous coucher régulièrement
21 minutes plus tôt ? ☐ Oui ☐ Non
- Avez-vous réussi à dormir 21 minutes de plus ? ☐ Oui ☐ Non
- Quels bénéfices en avez-vous tirés ?

. . . .

. . . .

. . . .

. . . .

. . . .

. . . .

. . . .

Bilan Semaine 1

À ce stade du programme, vous avez entamé une réflexion profonde sur vous-même. Peut-être que certains de vos modes de fonctionnement vous apparaissent sous un nouveau jour ? Peut-être qu'une prise de conscience commence doucement son chemin dans votre tête ? Peut-être cherchez-vous encore à identifier des pistes de progression possibles pour agir sur votre état d'épuisement ? Dans tous les cas, ce qui se passe en vous est en marche !

Faites le bilan de votre première semaine en cochant les cases dans le tableau ci-dessous. Et n'oubliez pas le rituel de la batterie à la fin du livre pour évaluer votre niveau d'énergie.

Acquis	Oui	Non
Je suis capable d'évaluer mon véritable état de fatigue.		
J'ai réussi à faire le point sur mon estime de moi.		
Je suis capable d'identifier mes besoins.		
Je sais ce que contiennent mes valises émotionnelles, et je sais les vider.		
Je me suis débarrassé de mes autocroyances négatives.		
Ma jalousie est devenue un moteur pour aller de l'avant.		
J'ai désencombré mon intérieur et amélioré mon lieu de travail grâce au Feng Shui.		
J'ai gagné 21 minutes de sommeil en plus.		

Vous pourrez revenir à la Semaine 1 autant que nécessaire, et vous pouvez même marquer un temps de pause (de la durée de votre choix) pour prendre le temps de digérer les changements amorcés avant d'entamer la Semaine 2.

La Semaine 2 revêt un caractère différent, puisqu'il ne s'agit plus seulement des sources internes de votre épuisement, de vos ressentis, mais de votre environnement (pro et perso).

SEMAINE 2

Je reprends la main sur mon environnement pro et perso

JOUR 8

J'abandonne le rôle que je joue au travail

Nous nous déguisons tous plus ou moins. Pour faire face aux changements de notre vie, pour nous adapter, pour nous protéger, nous avons le réflexe darwinien de modifier notre comportement, parfois jusqu'à modifier l'essence de notre être !

Mais cette situation peut nous épuiser, quand nous devons déployer des trésors d'imagination pour être une autre personne.

Cette personne que je ne suis pas

Endosser le rôle de quelqu'un d'autre est un ressort comique et dramatique ultra-utilisé dans les fictions. Par exemple dans le film *Working Girl*, Melanie Griffith s'évertue à remplacer sa patronne en se déguisant littéralement. Dans *Mrs. Doubtfire*, c'est Robin Williams qui se travestit en vieille nounou pour pouvoir s'occuper de ses enfants. Et dans le roman *Sexe, mensonges et banlieues chaudes*, l'héroïne Sara se fait passer pour une banlieusarde alors qu'elle vient de Neuilly pour pouvoir bénéficier d'un programme diversité. Bien sûr, ça ne dure jamais plus longtemps qu'un film ou qu'un livre… car on peut jouer un rôle avec brio quelques semaines, quelques mois, mais la vérité finit toujours par éclater : on s'épuise et on craque pour enfin redevenir soi !

Dans *Comment traiter le burn-out ?* paru sous la direction du docteur Michel Delbrouck (voir bibliographie p. 223), le burn-out est décrit comme « la maladie de l'effondrement de la psyché ». Il survient quand nos capacités ne sont plus en adéquation avec ce que nous nous imaginons être capables de faire : nous avions pensé être un autre que nous-mêmes.

Pour séduire, pour trouver un emploi, pour convaincre… nous jouons en permanence plus ou moins un rôle. Mais quand cela vire à la schizophrénie, le burn-out nous guette !

Ce qui est le plus fatiguant quand on joue un rôle, c'est de jouer quelque chose qui va à l'encontre de sa propre nature. Par exemple, si vous êtes quelqu'un de timide et que vous vous forcez à jouer au bavard extraverti, vous vous épuiserez à chercher des sujets de conversation, à faire le clown pour incarner un métier, alors que ce n'est pas naturel. À l'inverse, si vous êtes extraverti et que vous jouez le rôle d'une personne froide et distante pour obtenir un poste, vous vous frustrerez en canalisant ce que vous voulez exprimer à chaque situation.

C'est en général au moment des fameux entretiens annuels d'évaluation, où l'on passe en revue l'adéquation personnalité/compétence/poste occupé (les fameux « savoir être » et « savoir-faire »), que peuvent apparaître ces décalages profonds qui finissent par vous mettre en difficulté et vous épuiser à la longue.

Jouez-vous un rôle dans votre vie professionnelle ?

Nous avons établi ce test dans le cadre des modules de formation « Prévention de l'épuisement » que nous dispensons. Il se base sur notre expertise de la gestion de carrière et de la conciliation vie professionnelle/ vie familiale.

Répondez « oui » aux affirmations qui vous semblent justes :

- Je me force à dire bonjour à mes collègues dans mon environnement de travail. ❑ Oui ❑ Non
- Quand on me félicite, je crois toujours que je ne le mérite pas. ❑ Oui ❑ Non
- Je ne me sens pas à l'aise dans la tenue vestimentaire que je porte au travail. ❑ Oui ❑ Non
- Mon travail va à l'encontre de mes principes. ❑ Oui ❑ Non
- Parfois, je ne me sens pas à ma place au travail. ❑ Oui ❑ Non

- Je refuse d'inviter des collègues chez moi. ☐ Oui ☐ Non
- J'évite de trop parler de moi à mes collègues de peur de livrer une information personnelle. ☐ Oui ☐ Non
- Je dissimule une information personnelle au travail (que j'ai des enfants, que je suis homosexuel...). ☐ Oui ☐ Non

Si vous avez répondu « oui » plusieurs fois, il est possible que vous jouiez un rôle dans votre vie professionnelle. Posez-vous alors ces quelques questions :

- Trahissez-vous un principe fondamental pour vous dans votre vie professionnelle ?
- Qu'est-ce qui vous y oblige (contraintes économiques par exemple) ?
- Pouvez-vous y remédier ?
- Comment ?
- Que changeriez-vous dans votre comportement au travail pour être plus « vous-même » ?

Ce test a pour but d'identifier d'abord si vous jouez un rôle au travail et si ce rôle vous pèse et vous épuise. Il vous permettra ensuite de voir s'il vous est possible d'être davantage en adéquation avec vous-même au travail en ajustant peut-être certains comportements pour vous sentir plus en phase, sans remettre en cause les attentes de votre hiérarchie.

Comment redevenir soi en douceur

Pour pouvoir arrêter de jouer un rôle au travail, il est nécessaire d'abord de faire le point. Pour cela, nous vous invitons à suivre les quatre étapes ci-dessous :

1. Faites la part des choses entre l'« acceptable » – les concessions que vous êtes prêt à faire au travail – et le « non-acceptable » – ce sur quoi vous ne voulez pas transiger. Par exemple, j'accepte d'être GO une fois par semestre

> « Il n'est pas nécessaire que le Prince ait toutes les qualités. Il est nécessaire que le Prince semble les posséder. »
>
> **Machiavel, Le Prince**

lors d'une soirée spectacle pour mes équipes qui sont demandeuses de ces moments de cohésion, alors que je n'aime rien d'autre que mes soirées tranquilles. En revanche, j'ai de plus en plus de mal à bosser avec des clients qui ne place pas l'humain au cœur de leur politique RH.

2. Demandez-vous si mettre fin à votre vie professionnelle actuelle améliorera vraiment les choses et servira la (les) cause(s) que vous défendez. Par exemple, je suis avocat spécialiste de l'environnement et je travaille pour une compagnie pétrolière. Mais je reverse une partie de mes revenus en cotisations associatives. Si je démissionne, je ne pourrai plus soutenir ces associations environnementales. Sinon, passez au point suivant !

3. Essayez de réconcilier petit à petit votre vraie personnalité avec celle que vous vous êtes créée pour travailler. Amenez par petites touches votre « moi » au travail. Cela peut passer par des détails comme la décoration de votre bureau, un fond d'écran personnalisé, mais aussi, pourquoi pas, par la présentation d'une personne de votre vie privée si vous en éprouvez le besoin.

4. Si en revanche vous avez le sentiment de jouer un rôle permanent, et qu'arrêter de jouer ce rôle remettra forcément en question votre situation professionnelle, sans doute n'êtes-vous pas à la bonne place. Entamer un bilan de compétences pourrait peut-être vous permettre de réfléchir à vos compétences réelles et à vos qualités, et à la manière de les utiliser au mieux dans un univers professionnel en corrélation avec elles. La plupart des bilans de compétences peuvent être pris en charge par votre employeur dans le cadre du DIF, n'hésitez pas à vous renseigner !

Témoignage de Christophe, 38 ans, pro commerce équitable

« J'étais chef de produit dans la grande distribution et j'avais l'impression de me renier quotidiennement ! Pourtant, je ne trouvais aucun travail dans le commerce équitable et ne pouvais pas me permettre de démissionner et de me retrouver sans ressources. Jusqu'au moment où j'ai été promu pour m'occuper... du lancement d'une marque équitable pour mon employeur ! Une aubaine qui m'a permis de redevenir qui j'étais vraiment au travail. »

Le conseil de Cédric

✔ Tout est dans la nuance du rôle !

✔ Distinguons d'abord les « rôles » : on peut dire que dans l'univers professionnel, tout le monde joue plus ou moins un rôle. Il faut faire la part des choses entre ce qui est attendu d'un poste (rigueur dans la finance, par exemple) et le rôle qui vous amène à vous transformer totalement, en vous déguisant en quelqu'un que vous n'êtes pas.

✔ Pour jouer un rôle attendu dans la limite de l'acceptable, mais ne pas le surjouer jusqu'à mettre sa personnalité en danger, l'idéal est d'exercer un métier en phase avec son comportement, c'est-à-dire de mettre en adéquation sa personnalité, ses compétences, avec le profil de son poste. Ainsi je ne chercherai pas à devenir policier si ma personnalité est rebelle, contre les règles et l'ordre établi.

✔ Ne plus se déguiser, c'est aussi accepter d'intégrer sa personnalité dans le rôle que l'on joue. Par exemple, on n'est pas obligé d'être austère parce que l'on est comptable, il faut réussir à intégrer sa personnalité dans la fiche du poste que l'on occupe. Il faut laisser s'exprimer le naturel, mais dans un cadre professionnel.

Le conseil de Marlène

✓ Les femmes en particulier ont souvent ce sentiment de devoir jouer un rôle, se déguiser. Dans une interview au magazine *ELLE*, la ministre Najat Vallaud-Belkacem explique : « Être une femme en politique, c'est comme aller à un mariage auquel on n'a pas été invitée. » Nombreuses sont d'ailleurs les femmes actives qui éprouvent le besoin de revêtir un costume dit masculin, pour ne pas jurer peut-être, avec notamment des couleurs sombres et neutres…

✓ Dans toutes les conférences dédiées à la réussite au féminin, on évoque aussi le sentiment d'imposture inhérent aux femmes actives. Marine Deffrennes, auteure de *Elles ont réussi dans le digital*, a d'ailleurs lancé lors de la conférence « Femmes numériques » à Bordeaux : « Les hommes imposteurs, on en rencontre foule dans le monde du travail ! Alors bluffons, nous aussi. » Comme les femmes, d'autres profils – autodidactes, personnes issues des quartiers difficiles… – peuvent éprouver ce sentiment d'imposture. On peut choisir d'aller contre, de lutter contre le ressenti en travaillant et en faisant ses preuves, ou on peut choisir comme Marine de l'assumer, et de jouer un poker : moi aussi, je bluffe un peu !

Je recharge ma batterie

✔ Je m'interroge et me teste pour savoir si je joue un rôle au travail, ou pas.

✔ Je fais la part des choses entre l'acceptable et l'inacceptable.

✔ Je tente d'aligner mes qualités et mes compétences avec le poste que j'occupe.

✔ Je réinvite ma vraie personnalité au travail.

JOUR 9

Je reconsidère mon rapport au travail

La vie active, au sens large, est le principal responsable des syndromes d'épuisement. Dans le contexte économique actuel, les recrutements sont gelés dans de nombreuses entreprises. Conséquence : on en demande encore plus aux personnes déjà en poste, qui peuvent se retrouver pressurisées. Dans la fonction publique, la RGPP (réforme générale des politiques publiques destinées à faire faire des économies à l'État) a conduit au non-remplacement d'un fonctionnaire sur deux dans des administrations, sans diminuer la charge de travail...

L'absence d'emploi n'est pas reposante pour autant. La psychanalyste Claude Halmos a récemment avancé que le chômage serait à l'origine de nombreux malaises. Dans son livre *Est-ce ainsi que les hommes vivent ?* (voir bibliographie p. 223), elle n'hésite pas à parler d'individus « ravagés par la honte et la culpabilité » de ne pas trouver d'emploi.

On passe le plus clair de notre temps éveillé au travail, et c'est au travail que se nouent les enjeux de pouvoir et de réussite sociale. C'est le travail enfin qui nous apporte un revenu et nous permet de payer nos factures, de vivre et de faire vivre les personnes que nous avons à charge. Il peut être source d'épanouissement sans bornes mais aussi source d'angoisse, d'excès et bien sûr, d'épuisement !

Une certaine solitude

Si l'épuisement peut trouver sa source dans la vie privée ou familiale, le burn-out s'exprime souvent au travail, où la part de suicides explose de manière exponentielle. Oui ! Le travail peut faire souffrir (c'est même son sens étymologique) et tue, parfois (voir l'interview du docteur Yves Gunder p. 106).

Nous entendons d'ici les sceptiques clamer qu'on ne vit plus sous Zola… Vous avez du mal à croire que l'on puisse littéralement mourir d'épuisement au travail ? Quelques exemples parmi les plus médiatiques :

- Moritz Herardht, stagiaire depuis six mois à la Bank of America, a travaillé 72 heures consécutives. Il est mort d'un arrêt cardiaque.
- Nicolas Choffel, cadre à La Poste, s'est suicidé après un arrêt maladie pour burn-out. Son épouse a été reçue à l'Élysée en 2013 pour demander une meilleure prise en compte de l'épuisement professionnel.
- Mita Diran, rédactrice dans une agence de publicité du groupe Young & Rubicam, est morte fin 2013 après avoir tweeté « trente heures de travail consécutives ! », probablement accompagnées de boissons énergisantes.

Mais au-delà de la durée et de l'intensité du travail, l'épuisement se nourrit aussi d'une forme de solitude, réelle ou ressentie. La vie professionnelle à notre époque est avant tout fondée sur un individualisme forcené : l'esprit de compétition (entre les enseignes, entre les équipes, entre les individus dans les équipes) est la première « norme masculine du pouvoir » en vigueur, décrite par l'Institut Catalyst.

Les pratiques destinées à mieux concilier vie professionnelle et vie personnelle peuvent être merveilleusement utilisées, mais sont aussi des sources d'isolement. Difficile de se confier à des collègues quand on télétravaille fréquemment, par exemple. Toutes les mesures qui s'occupent de « productivité » sans considérer l'être humain producteur sont mauvaises, et pour l'humain et pour l'entreprise (l'effet boomerang se paie toujours).

En vingt ans, le nombre de contrats de travail à durée indéterminée a considérablement diminué, au profit de contrats de prestations (portage salarial, autoentrepreneurs, agences de mise à disposition de personnel…). Les intérêts sont multiples, mais être prestataire permanent et non salarié interdit l'accès au comité d'entreprise, aux représentants du personnel, et bien sûr aux droits inhérents aux salariés (vacances, RTT, jours enfants malades…). Or, le sentiment d'appartenance fait partie des besoins édictés par Maslow dans sa fameuse pyramide (voir p. 36). D'ailleurs l'explosion des réseaux professionnels ne répond pas qu'à un besoin pragmatique, mais aussi à un instinct grégaire.

Dès que l'on se retrouve seul face à une spirale épuisante, sortir de l'isolement éventuel, retrouver le sens du collectif devient une priorité.

Alors voici quelques pistes pour trouver votre *team*.

- Vous êtes entrepreneur :
- Les clubs et réseaux d'entrepreneurs organisent des rencontres et des formations. Il peut y être question de développement économique, mais aussi de développement personnel, de prévention de l'épuisement... Le CJD (Centre des jeunes dirigeants d'entreprise) organise par exemple des présentations miroirs au cours desquelles chaque « JD » (jeune dirigeant) se confronte à l'image qu'il renvoie. Un moment idéal pour une prise de conscience.
- L'association « 100 000 Entrepreneurs » propose à des chefs d'entreprise de donner l'envie de créer aux lycéens. Un bon moyen de nouer des contacts humains sincères et intéressants, mais aussi de prendre du recul sur son activité en la présentant à de jeunes inconnus...
- Vous êtes cadre en entreprise ou dans la fonction publique :
- Pour être utile et vivre une relation aux autres, rapprochez-vous de l'association NQT (Nos quartiers ont des talents), qui propose aux cadres en poste de parrainer de jeunes diplômés issus de quartiers dits sensibles.
- La JCE (Jeune Chambre économique) fédère des personnes dynamiques autour de projets du territoire.
- L'association « Maman travaille » organise régulièrement des rencontres, débats, conférences... autour des questions de conciliation vies professionnelle et personnelle. Vous trouverez des informations sur le blog ahoo.mamantravaille.fr.
- Bien évidemment, les syndicats (de salariés, mais aussi d'entreprises) permettent de retrouver un esprit collectif et d'être défendu. La CGT, FO, la CGC, la CFDT ont des unions départementales partout en France.

Attention, rejoindre un club ou « réseauter » doit vous permettre de faire baisser votre degré d'épuisement, pas l'accroître. C'est une démarche d'adhésion qui demande de l'investissement, y compris émotionnel.

Pensez-y en prévention ou pour vous remettre d'un épuisement, pas quand vous êtes au fond du trou, peu disponible et pas prêt à faire cet investissement. Entamez cette démarche quand vous vous sentez assez à l'aise pour vous présenter à d'autres... Pour ce faire, nous vous conseillons la lecture du *Guide des réseaux au féminin* de Carole Michelon et Emmanuelle Gagliardi (voir bibliographie p. 223).

Workaholic ou pas ?

Dans un monde où la « productivité » et la « performance » sont les maîtres mots, où l'on parle de « charges » pour désigner les cotisations de Sécurité sociale, et de « coût du travail » pour désigner le salaire mérité par le travail d'une personne, le rapport au travail peut engendrer des déséquilibres importants dans le quotidien des personnes au travail.

L'addiction au travail ou le « *workaholisme* » est une pathologie récente, qui a d'abord touché les fameux *yuppies*, ces cadres des années quatre-vingt surdopés, avant d'atteindre l'ensemble de la population occidentale ! Karl Marx l'avait d'ailleurs prédit dans son livre *Le Capital*, dans lequel il définissait le concept d'aliénation par le travail.

Lorsque l'on trouve une satisfaction dans son travail, que l'on est passionné, que l'on y forge son identité, que l'on y puise des sources d'estime de soi, on peut vite devenir accro au travail. C'est d'autant plus valable avec l'effacement des frontières entre la vie professionnelle et la vie personnelle.

Alors il est peut-être temps de vous interroger sur votre propre rapport au travail et d'essayer d'identifier si vous êtes accro au travail ou pas. Pour cela, faites le test ci-après.

Êtes-vous accro au travail ?

Nous avons établi ce test dans le cadre d'entretiens d'évaluation et de modules de formation en prévention de l'épuisement que nous dispensons. Il se base sur notre expertise de la gestion de carrière et de la conciliation vie professionnelle/vie familiale.

Répondez « oui » aux affirmations qui vous semblent justes :

- Vous préférez la rentrée aux vacances. ☐ Oui ☐ Non
- D'ailleurs, vous avez du mal à prendre des vacances de vous-même. ☐ Oui ☐ Non
- Vous avez cumulé beaucoup de RTT. ☐ Oui ☐ Non

- Lorsque vous êtes en congé, vous allez déjeuner avec vos collègues de travail. □ Oui □ Non
- Vous vous endormez en pensant au travail. □ Oui □ Non
- La première chose que vous faites après vous être levé(e) le matin, c'est consulter vos mails professionnels. □ Oui □ Non
- Vous avez beaucoup de mal à déléguer, vous pensez que ce sera mieux fait par vous ! □ Oui □ Non
- Vous êtes nerveux(se) ou tendu(e) si l'on vous empêche de consulter vos dossiers. □ Oui □ Non
- Quand vous arrivez au travail, vous poussez un soupir d'excitation ou de soulagement. □ Oui □ Non
- Les pauses vous ennuient. □ Oui □ Non
- Votre conjoint ou vos enfants se plaignent que vous travaillez trop. □ Oui □ Non
- Vous n'avez jamais assez de travail, vous en voulez toujours plus. □ Oui □ Non
- Vous gagnez de l'argent mais n'avez pas toujours le temps de le dépenser pour le plaisir. □ Oui □ Non
- Quand vous recevez des proches, vous gardez votre smartphone en main. □ Oui □ Non
- Vous avez déjà annulé une soirée entre amis pour travailler. □ Oui □ Non
- Votre travail est ce que vous avez de plus important. □ Oui □ Non

Si vous avez coché plus de 5 réponses « oui », vous êtes accro au travail. Au-delà de 10, vous êtes gravement *workaholic* ! Et vous êtes d'ailleurs peut-être en phase de « burn in », cette phase méconnue qui précède le burn-out.

 ## Les 5 regrets des personnes en fin de vie

Une infirmière en soins palliatifs, Bronnie Ware, a recueilli les confidences, remords et regrets de ses patients dans son livre *Les 5 Regrets des personnes en fin de vie*[1]. À la question posée à ses patients dans les derniers moments de leur vie : « Quels sont les plus grands regrets qui ont été le plus exprimés de votre vie ? », voici les 5 réponses récurrentes et compilées par Bronnie Ware :
→ Je regrette de ne pas avoir eu le courage de vivre ma vraie vie et non pas celle que les autres voulaient pour moi.

---

1. Bronnie Ware, *Les 5 Regrets des personnes en fin de vie*, Guy Trédaniel Éditeur, 2013.

→ Je regrette d'avoir trop consacré de temps à mon travail.
→ Je regrette de ne pas avoir plus exprimé mes sentiments.
→ Je regrette de ne pas être resté en contact avec mes amis.
→ Je regrette de ne pas m'être autorisé à être plus heureux.

Personne ne regrette de ne pas avoir assez travaillé, vous remarquerez…
À méditer !

Le « burn in », qu'est-ce que c'est ?

Le « burn in » précède le burn-out. C'est un phénomène extrêmement méconnu en France. D'ailleurs, aucun article ou étude n'est disponible sur ce sujet sur Internet. Et pourtant, le « burn in » est vraiment la phase la plus importante du burn-out dans la mesure où c'est celle qui le précède. En phase de « burn in », il est encore temps d'arrêter de s'épuiser !

Le « burn in » décrit le mécanisme d'intériorisation de l'épuisement, toute cette phase pendant laquelle la personne va ravaler ses souffrances au travail et continuer à s'épuiser toujours plus.

Théorisé par le psychologue américain Cary Cooper, le « burn in » est détaillé dans l'ouvrage *Comment traiter le burn-out ?* écrit sous la direction de Michel Delbrouck (voir bibliographie p. 223). Il se manifeste notamment par une présence excessive sur le lieu de travail et par une intériorisation des exigences de celui-ci. Vous êtes en plein « burn in » si vous êtes irrité, exigeant, à cran, cynique et froid vis-à-vis de votre travail, inapprochable psychologiquement, et que vous allongez excessivement votre temps de travail sous des prétextes indiscutables (ce dossier est en retard, mon client va m'échapper, ils ont besoin de moi, je suis seul à pouvoir le faire…).

Il se différencie du burn-out dans la mesure où il précède la phase de « craquage » : en « burn in », vous restez tard au bureau, vous reprenez d'autres dossiers, bref, vous êtes un genre de kamikaze de l'épuisement !

On l'aura compris, faute de prise en charge, le « burn in » et ses objectifs inaccessibles vous entraînent droit vers le burn-out.

L'urgence des soins en phase de « burn in » n'apparaît pas toujours aux yeux du malade – car on peut parler de maladie – qui commence souvent par s'enfermer dans le déni puisqu'à ses yeux tout va bien : la preuve, il travaille comme jamais avec une productivité sans cesse accrue !

Les conditions de travail jouent beaucoup dans l'apparition du « burn in » : précarisation (travail à temps partiel, emploi peu qualifié, menace du chômage…), statut d'indépendant qui oblige à rester connecté en permanence ou à dire oui à tout, management par le stress, « placardisation » (voir l'encadré sur le « *bore-out* » p. 103), harcèlement moral ou *mobbing* (voir encadré ci-dessous)… sont autant de situations qui peuvent mener au « burn in ».

Le psychosociologue suédois Hans Leymann a défini dans les années quatre-vingt-dix le *mobbing* par une liste de quarante-cinq agissements néfastes, dangereux et nuisibles, comme par exemple : le supérieur hiérarchique refuse à la victime la possibilité de s'exprimer, la victime est déconsidérée auprès de ses collègues, ses convictions politiques ou ses croyances religieuses sont attaquées, on se gausse de sa vie privée, on lui confie des tâches exigeant des qualifications très supérieures à ses compétences de manière à la discréditer, etc.

Le *mobbing* : une « pratique de management » illégale, dangereuse, et pourtant…

→ Le *mobbing* est entré dans les mœurs de certaines unités de travail comme une méthode de management par la « terreur ». Des pratiques apparentées au *mobbing* sont par exemple repérées dans une centrale d'appels où l'on exige une forme de taylorisme intellectuel : du travail à la chaîne mental. Dans l'une d'elle, l'objectif à atteindre était de 147 appels téléphoniques quotidiens. Celui qui passait le moins d'appels voyait son nom affiché à l'entrée de l'open space, en rouge, accompagné d'un smiley triste. Elle a été utilisée pour terroriser les salariés et pour leur faire faire ce que l'on attendait d'eux ; voire carrément pour les pousser à la démission.

→ Aujourd'hui, le *mobbing* est reconnu par le ministère de la Santé (*via* le rapport du Conseil économique et social, de Michel Debout, « Le harcèlement moral au travail » en 2001) comme une pratique apparentée au harcèlement moral et condamnable devant la justice.

> « Suis en vacances.
> À quoi me sert de gagner de l'argent si je ne peux pas le dépenser ? »
>
> Françoise Sagan

Alors si vous vous reconnaissez un tant soit peu dans ces symptômes caractéristiques du « burn in », faites donc le test ci-dessous !

Êtes-vous en plein « burn in » ?

Nous avons établi ce test dans le cadre d'entretiens d'évaluation et de modules de formation en prévention de l'épuisement que nous dispensons. Il se base sur notre expertise de la gestion de carrière et de la conciliation vie professionnelle/vie familiale.

Répondez « oui » aux affirmations qui vous semblent justes :

- Même malade (rhume, rhinite, gastro...), vous vous rendez sur votre lieu de travail. ❏ Oui ❏ Non
- Vous vous sentez démotivé(e), vous ne savez plus bien pour quelle raison vous faites ce travail, mais vous continuez à le faire quand même ! ❏ Oui ❏ Non
- L'opinion de vos collègues ou de vos pairs compte beaucoup pour vous. ❏ Oui ❏ Non
- Vous somatisez beaucoup, vous développez des maux de dos, migraines... sans pour autant lever le pied. ❏ Oui ❏ Non
- Vous pensez en permanence ou presque à votre travail (sous la douche, en mangeant, en vous endormant...). ❏ Oui ❏ Non
- Vous êtes fatigué(e) même quand votre journée n'a pas été épuisante. ❏ Oui ❏ Non

Si vous avez coché « oui » à une majorité de ces questions, il y a fort à parier que vous êtes en phase de « burn in ».

La bonne nouvelle, c'est qu'il est encore temps d'agir pour ne pas franchir la phase ultime de « craquage ». Alors mettez-vous à votre écoute et revoyez votre rapport au travail.

Les mécanismes psychologiques qui mènent à l'épuisement professionnel invitent cependant à s'interroger aussi sur son mode de fonctionnement plus global au travail : pourquoi ai-je un tel besoin de travailler ? Pourquoi est-ce que je place la barre si haut ?

La méthode In-VESTI® que nous vous proposons de découvrir maintenant va vous permettre de remettre chaque chose à sa place et de ne plus tomber dans l'excès au travail.

La méthode In-VESTI' pour s'en sortir

Cette méthode réunit les meilleures pratiques issues des univers du sport, de la psychologie au travail et de la santé globale pour proposer aux salariés des moyens de s'investir sainement pour une performance optimale et durable[2].

Elle s'articule autour de six principes clés pour rester performant sans s'épuiser :

* L'Introspection : l'introspection est un exercice délicat qui consiste en la connexion avec son « moi » intérieur et profond. Il peut être guidé ou accompagné d'un professionnel (psy, coach…), ou d'un proche mais se fonde sur l'analyse personnelle et intime de soi. Dans le monde du sport, il s'agit de se connecter avec ses capacités, ses désirs, et de s'en servir pour nourrir la concentration, en répondant à des questions comme :
  – À quoi pensez-vous avant un moment difficile ou capteur d'énergie ?
  – Quelle est votre « pensée magique », celle qui vous fait vous sentir serein et en confiance ?
  – Avez-vous un « lieu sûr » où vous pouvez vous transporter mentalement pour y puiser de l'énergie ?

* La Volonté : dans le cas de l'épuisement, la volonté est nécessaire pour arrêter de s'épuiser. Pour vous en souvenir ou pour la décupler :
  – Souvenez-vous des moments de votre vie où vous n'étiez pas épuisé : comment vous sentiez-vous ?
  – Que feriez-vous si vous étiez moins épuisé ?

* L'Énergie : il est nécessaire de pouvoir identifier ses sources d'énergie (nourriture, environnement immédiat, etc.) pour y puiser de l'énergie :
  – Qu'est-ce qui « recharge vos batteries » ?
  – Savez-vous utiliser votre énergie à bon escient ?
* Le Soutien : voir le Jour 16 (p. 169) pour identifier les personnes ressources dans votre entourage et les relations toxiques à éliminer.
* Le Talent : votre talent est la base de tout. Pour vous en persuader, citez trois exemples de réussites, de choses dont vous êtes fier, qu'il s'agisse de réalisations professionnelles, artistiques, ou d'actions plus

---

2. Publication d'HEC Montréal, relayée par le CAIRN : www.cairn.info/resume.php?ID_ARTICLE=RIGES_381_0006 » \l « no1 »

personnelles. Par exemple : j'ai réussi à faire inscrire mon fils dans le cours d'allemand qui était déjà complet ; j'ai bouclé le dossier Brother & Brother l'été dernier ; j'ai réalisé un super PowerPoint pour le mariage de Chloé ; j'ai obtenu un diplôme que je visais, etc. Et chaque fois que vous douterez de votre talent, souvenez-vous de ces trois fiertés !

1. . . . .

. . . .

2. . . . .

. . . .

3. . . . .

. . . .

- L'**I**mputabilité : les personnes à l'estime de soi faible ou instable (voir Jour 3 p. 40) peuvent avoir tendance à minimiser leurs réussites, à les mettre sur le compte de la chance, des autres, du hasard… Après un résultat positif, il importe de savoir l'imputer. C'est ce qui permettra, plus tard, de puiser dans des croyances positives fondées sur l'expérience (je sais faire ça, j'ai déjà réussi ça). Même si, comme le disait Kennedy : « La victoire a cent pères, la défaite est orpheline », il est toujours plus facile pour les autres de s'imputer vos victoires et de vous céder la paternité de vos échecs. À vous de faire la part des choses !

Cette méthode nous démontre qu'arrêter de s'épuiser n'est pas arrêter de travailler, mais travailler différemment :
- En prenant conscience de nos agissements sur nous-mêmes et notre entourage, de nos faiblesses et de nos forces, de notre histoire, de notre niveau d'énergie…
- En ayant la volonté de travailler et la volonté de ne pas s'épuiser !
- En mettant en œuvre l'ensemble des ressources énergétiques (bannir les énergies néfastes et se nourrir des énergies positives et efficaces), en mobilisant son énergie à bon escient et pas en la dispersant sur des choses vaines.
- Avec le soutien de son entourage et des « personnes ressources ».
- En mettant tout en œuvre pour faire éclater son talent !
- En sachant attribuer ses réussites à son propre talent.

Focus sur le « *bore-out* »

→ Le « *bore-out* » est un jeu de mot américain entre *bore* (qui signifie « s'ennuyer ») et « burn-out ». Littéralement, il fait référence aux personnes que l'on prive de leur travail, que l'on placardise, afin de les épuiser. Le cerveau tourne alors à vide sur du rien et s'épuise comme une machine électrique que l'on ferait tourner sans cesse sans rien pour la nourrir.

→ Ainsi l'épuisement au travail peut aussi venir d'une situation de stress qui n'est pas due à une surcharge de travail, mais qui, au contraire, est due à une absence de travail, une privation de travail. Même si cette situation peut sembler moins courante, elle existe néanmoins et mérite d'être évoquée ici car elle peut mener de la même façon au burn-out.

→ Ainsi la « placardisation » joue aussi sur l'estime de soi : on perd peu à peu ses compétences qui ne sont plus exploitées et plus mises à jour, on perd également le contact avec son environnement de travail habituel (clients, collègues, etc.).

→ Pour remédier à ce genre de situation, il est toujours possible de contacter un délégué du personnel ou un syndicat pour faire constater sa situation. Une fois votre dossier entre leurs mains, et avec leur aide, il faut tout tenter pour retrouver un poste en lien avec vos compétences habituelles.

→ Et surtout, en attendant que votre cas soit réglé, ne restez pas sans rien faire. La situation étant difficile psychologiquement, c'est le moment ou jamais de vous lancer dans une formation ou un projet personnel qui vous tient à cœur et qui vous mobilisera les neurones !

Témoignage de Lydia, 29 ans, placardisée à son retour de congé maternité

« J'avais la sensation d'être un hamster dans sa roue, de jouer dans *Un jour sans fin* ! Mais je n'ai pas perdu espoir car je savais que, légalement d'après le Code du travail, après un congé maternité (ou paternité d'ailleurs), je devais retrouver un poste de niveau et de rémunération équivalents à celui que j'occupais au moment de mon départ. »

Le conseil de Cédric

✓ Il faudrait rendre les loisirs obligatoires !

✓ Le problème des personnes qui sont allées jusqu'à une alerte d'épuisement, c'est que ça risque de devenir leur mode de fonctionnement professionnel. Leur automatisme, c'est s'épuiser. Ils n'ont pas l'impression de travailler s'ils ne s'épuisent pas.

✓ Or, pour être efficace, pour travailler à long terme, et surtout pour se sentir bien en travaillant, il faut éviter cet épuisement et garder un rythme d'activité professionnelle raisonnable.

✓ Pour cela, vous pouvez commencer par lister les tâches que vous avez à faire : celles qui sont essentielles et celles qui le sont moins ; celles qui sont chronophages ou pas.

✓ Faire un planning pour la semaine et s'y tenir peut être un bon début de reprise en main (s'aménager des plages par sujet par exemple).

✓ Se prévoir une à deux plages par semaine où l'on réfléchit, où l'on organise, l'on améliore, l'on optimise : cette période de « stratégie » est nécessaire pour ne pas être en permanence dans l'action routinière et épuisante. Cela permet d'avoir une vision claire de ce que l'on a à faire et permettra aussi de savoir dire « non » (voir Jour 12, p. 130) quand nécessaire.

✓ Pour les personnes en pré-épuisement ou en post-épuisement, il y a urgence à ajouter une phase « loisirs » après chaque phase de repos ou de travail pour sortir de la dualité travail/repos et entrer dans un cycle à trois phases : travail/loisirs/repos.

✓ En s'obligeant à avoir des loisirs, on oblige son cerveau à se concentrer sur ces loisirs. S'adonner à une nouvelle activité, ce n'est pas seulement penser à autre chose qu'à son travail pendant deux heures par semaine : c'est aussi nourrir ses neurones, sa mémoire, ses pensées, avec autre chose que du travail. Par exemple, quelqu'un qui fait du tennis s'endormira en se demandant : « Comment ai-je tenu ma raquette ? », ou en se refaisant le match du jour. C'est une aération intellectuelle : le cerveau se concentre sur autre chose que sur le travail, et évite ainsi la surchauffe.

Le conseil de Marlène

✓ L'épuisement, on l'a vu, est aussi une maladie de la psychée et du rapport aux autres. Pour se remettre d'un burn-out sévère, de plus en plus de travailleurs se tournent vers le bénévolat. Bien des bénévoles vous le diront, s'occuper des autres, c'est aussi s'occuper de soi. Récemment, le film *Samba* avec Charlotte Gainsbourg et Omar Sy racontait comment une cadre RH se remettait d'un burn-out en s'investissant auprès de sans-papiers...

✓ Attention : il ne s'agit pas d'ajouter du travail au travail, mais aider les autres aide à retrouver une place dans la société, à se sentir utile, à reprendre confiance en soi.

✓ Quand on a souffert de relations aux autres dégradées au travail (harcèlement, perte de repères affectifs, relations toxiques), le bénévolat peut être une manière douce de se remettre en selle.

✓ On sous-estime aussi le pouvoir des animaux, dont le mode de fonctionnement simple, connu sous le nom de « métaphore du chien de Pavlov » (tu me nourris → je te suis reconnaissant) peut conforter la confiance en soi et en les autres.

Je recharge ma batterie

✔ Je suis capable de dire si je suis accro au travail, ou pas.

✔ Je romps l'isolement que je peux ressentir au travail.

✔ J'ai conscience que je suis en phase de « burn in » et qu'il me faut réagir au plus vite.

✔ Je me connecte à mon moi profond et je mobilise ma volonté.

✔ Je puise dans mes sources d'énergie et je m'entoure des bonnes personnes.

✔ J'attribue mes réussites à mon propre talent.

Interview du Dr Yves Gunder, médecin du travail
à Paris, spécialiste du stress professionnel

Une personne en état d'épuisement peut, dans des cas extrêmes, décider « d'en finir ». Et pour en finir avec l'épuisement, quand on a le sentiment d'avoir éculé toutes les méthodes possibles et de faire face seul à un mal sans fin, quand on ne peut plus ni dormir ni réfléchir, ça peut devenir « en finir avec la vie ».

S'il est difficile de quantifier exactement la part de suicides dus à un burn-out ou à un épuisement, la part grandissante des suicides sur le lieu de travail amène à réfléchir. Rencontre avec un ancien médecin humanitaire devenu médecin du travail, spécialiste du stress professionnel.

Qu'est-ce qui peut amener une personne à être épuisée au point de se suicider ?

Dr Yves Gunder : Un salarié va être amené à penser le suicide comme la seule « issue » ou la seule façon d'appeler au secours de façon efficace ; il ne voit plus d'autre issue ni dans la fuite, ni dans la lutte, un combat qui tous deux demandent plus de force, d'énergie.

Le « raptus » auto-agressif apparaît comme une solution plus « facile » dans l'état d'épuisement et de détresse dans lequel il se trouve le plus souvent.

Puisque la construction d'une alternative se heurte à l'abattement de la personne, le geste auto-agressif est perçu comme le seul permettant de sortir du blocage. L'épuisement professionnel ou burn-out, qui est une forme sévère de dépression et peut conduire à l'idée de mort, explique donc en grande partie la susceptibilité d'un salarié à l'idée d'intenter à ses jours. Ce syndrome d'épuisement professionnel est toujours la conséquence d'un stress chronique, intense et prolongé : surcharge exagérée de travail, mauvaises conditions de travail, faible soutien social au sein de son collectif de travail, perte de sens, perte du sentiment d'utilité, management « agressif », manque de reconnaissance, changements trop brutaux et non explicités induisant une perte des repères, objectifs impossibles à tenir ou ordres contradictoires... sont autant de causes possibles (et qui peuvent se cumuler) d'un « ras-le-bol » qui finit jour après jour par miner les résistances jusqu'à conduire à l'idée de suicide.

Une entreprise avait tristement fait parler d'elle pour avoir, il y a quelques années, atteint le chiffre de 26 suicides. Mais la situation est tout aussi dramatique dans d'autres structures. Y a-t-il des entreprises qui cultivent un « terreau favorable » au suicide ?

Dr Yves Gunder : Toutes les entreprises ont l'obligation de veiller à préserver la santé des personnes qui y travaillent. Cette obligation de nature réglementaire (et éthique) se heurte à une certaine réalité économique qui fait que les entreprises doivent préserver ou augmenter leur productivité dans un contexte de plus en plus concurrentiel et mondialisé. Aucune d'entre elles n'échappe vraiment aux contraintes de baisser ses coûts, d'augmenter ses rendements, de diminuer ses délais, d'augmenter la qualité de ses services... Toutes ces contraintes se répercutent sur les femmes et les hommes qui composent les ressources humaines de l'entreprise dans des équations parfois impossibles : travailler plus et mieux, avec parfois (souvent) moins de moyens, d'effectifs, d'information, de formation...

Cela peut mener à des situations intenables. L'intensification, maître mot de ces dix dernières années, conduit à des situations contrastées : certains jettent l'éponge, d'autres s'arrêtent en maladie. Ceux qui restent voient parfois leur travail multiplié du fait que les absents ne sont guère remplacés.

Ajoutez à cela les autres facteurs de stress déjà cités et l'on arrive souvent à un cocktail explosif de détresse et d'isolement pouvant conduire à des gestes irréversibles. Aucune entreprise ou structure de travail n'est épargnée par le risque de ce cercle vicieux, et la crise ne fait qu'aggraver les ingrédients de cette mauvaise recette. De là à dire que des entreprises cultivent un « terreau favorable » au suicide, il y a un pas.

Beaucoup d'entreprises ayant à s'adapter à des changements très rapides et vitaux pour leur survie ou pour la rentabilité verront parfois la désorganisation s'installer du fait de décisions prises à la va-vite ou de mauvaises communications internes favorisées par le toujours plus vite, une gestion « hectique » dictée par les changements rapides qui secouent le monde économique globalisé et fortement financiarisé (attente des actionnaires de retours sur investissements importants et rapides). Plus rares sont les entreprises qui jouent sur un management par le stress pour dissuader les salariés de rester, ce dans une logique de compression des coûts.

Comment peut-on repérer une personne épuisée, sur le point de commettre l'irréparable ? Et comment, de l'extérieur, aider ses collègues épuisés à ne pas « basculer » vers le suicide ?
Dr Yves Gunder : Une société plus individualiste, où les collectifs se sont peu à peu émoussés (il suffit de voir la faible syndicalisation des entreprises françaises) conduit parfois les salariés à prêter moins d'attention à leurs collègues de travail.

Pourtant, un salarié qui se sent dans une telle détresse qu'il envisage le suicide comme seule alternative ne passe pas inaperçu ; sa souffrance, pour le moins, se manifeste par des signes de dépression qui doivent alerter : changement de comportement, humeur triste, discours noirs et dévalorisants, faciès fermé et figé, absence de sourire, perte de la motivation, des envies, agitation, recours à des cafés nombreux ou d'autres excitants, prise d'alcool compulsive, modifications des conduites alimentaires, fatigue manifeste, voire propos parfois délirants ou/et agressifs sont évocateurs d'un profond malaise qui ne peut laisser indifférent. Un signe fort aussi qui accompagne le changement de comportement et qui doit alerter est la tendance à l'isolement de quelqu'un qui était auparavant normalement sociable.

Aller vers la personne qui s'isole, lui demander si ça va au-delà de la simple formule de politesse, insister pour ne pas avoir une réponse de pure forme sans pour autant « harceler », proposer à la personne de rencontrer des délégués du personnel ou membres du Comité d'hygiène et de sécurité et des conditions de travail (CHSCT), voire aider à prendre rendez-vous auprès du médecin du travail (dont les coordonnées doivent être obligatoirement affichées dans les locaux communs de l'entreprise) ou d'aller à l'infirmerie de l'entreprise quand la taille de celle-ci l'impose, toutes ces démarches peuvent contribuer à sortir la personne en détresse de son isolement et l'amener à communiquer sur sa souffrance.

En cas de souffrance exprimée par la ou le collègue, il s'agit aussi et souvent en première ligne de conseiller la consultation du médecin traitant qui sera à même de se rendre compte de changements intervenus chez un patient régulier.

En tant que médecin du travail, pensez-vous que de meilleures politiques de ressources humaines, de responsabilité sociale des entreprises, de conciliation vie professionnelle/vie personnelle sauraient enrayer cette machine à épuisement ?

Dr Yves Gunder : Le travail est toujours une contrainte plus ou moins librement acceptée. La plupart des personnes au travail y voient une source de socialisation, une source d'intérêt, d'apprentissage, d'utilité sociale et donc d'épanouissement. Cependant, le travail peut et doit rester le moyen de « gagner sa vie » et non de la perdre. L'équilibre entre vie privée et professionnelle peut être précaire, encore plus en temps de crise. Apprendre à relativiser et à prendre du recul devrait être un souci permanent du management plutôt que de toujours vouloir « pousser à la roue ». Depuis quelques mois, lors des consultations médicales, il n'est pas rare de constater une baisse ou un arrêt de la pratique sportive des salariés, la plupart invoquant un manque de temps par rapport au travail, un indicateur certain de l'emprise croissante de la vie professionnelle sur la vie personnelle.

JOUR 10

Je revois mon équilibre familial

Parent d'enfants en bas âge ou d'adolescents, d'enfants scolarisés ou de jeunes adultes, parents à charge, fratrie recomposée, famille ou belle-famille envahissante ou carrément absente... il faut reconnaître que la famille « valeur refuge » est parfois une source d'épuisement.

Même au sein d'un couple (disputes, jalousie, infidélités, manque de communication, partage des tâches...), les tensions peuvent à la longue épuiser.

L'épuisement maternel, ça existe !

Les mères de famille accomplissent en moyenne 80 % des tâches ména-gères (d'après le Laboratoire de l'égalité, 2008), et d'après l'étude « Maman travaille » présentée en juin 2013, dans 65 % des familles, les mères sont seules responsables des missions éducatives ou liées à la vie scolaire (devoirs, kermesses, réunions parents-professeurs...). Et dans le même temps, elles gagnent en moyenne 13 à 27 % de moins que leurs conjoints, quand elles en ont un.

Pire, les mères qui travaillent repoussent souvent leurs rendez-vous médi-caux, faute de temps. Ainsi, 74 % d'entre elles, toujours d'après l'étude « Maman travaille », renoncent régulièrement à prendre soin d'elles.

« Quand j'ai réussi à me raser les deux aisselles et à me faire un gommage du visage sous la douche, je considère que j'ai pris du temps pour moi ! », raconte par exemple Camille, 31 ans, un travail et deux enfants.

Une mère active sur 5 saute même des repas plusieurs fois par mois, parce qu'elle est trop occupée à faire autre chose. Sur Facebook, elles disaient être nombreuses à connaître le coup de la « tasse de thé dans le micro-ondes », préparée vers 7 h 20 le matin et retrouvée en rentrant plus de douze heures plus tard...

« Moi, c'est mon café que je prépare et que j'oublie ! », lance Emmanuelle, 33 ans, responsable marketing et mère de jumeaux.

Tout cela se paie.

L'étude « Maman travaille » révèle que si 2 % des pères dorment plus de 10 heures par nuit en moyenne, c'est le cas de... 0 % des mères, qui passent moins de 6 à 7 heures par nuit à dormir, alors que les médecins recommandent une moyenne de 8 heures de sommeil par 24 heures.

Au final, toute cette fatigue accumulée engendre de nombreuses et graves conséquences qui mènent parfois tout droit à l'épuisement.

C'est Anne-Sophie, 31 ans, deux enfants, directrice des achats, qui devient insomniaque, alors qu'épuisée, et tourne à trois heures de sommeil par nuit.

C'est Afidha, 28 ans, deux enfants, chargée du marketing, qui pète un plomb et hurle sur son patron sans raison apparente.

C'est Sylvie, 41 ans, trois enfants, contrôleuse de gestion, qui craque et plaque tout un beau matin.

C'est Agnès, 45 ans, deux enfants, mère célibataire et conseillère d'éduca-tion, qui arrive un matin, fait une crise d'épilepsie au bureau alors qu'elle n'en avait jamais fait auparavant.

C'est Héléna, 30 ans, un enfant, illustratrice, prise subitement de migraines inexpliquées et de malaises vagaux.

C'est Maylis, 27 ans, deux enfants, community manager, hospitalisée douze jours pour un burn-out sévère.

Mais en France, le sujet reste tabou. Stéphanie Allenou avait bien abordé le sujet de l'épuisement des mères au foyer dans son livre *Mère épuisée* (voir bibliographie p. 223), mais notre culture veut encore qu'une *working mom* ait une grande chance. Pensez, en période de crise, elle a déjà un emploi ! De quoi se plaindrait-elle ? L'image de la *business woman*, femme parfaite en talons de 12 cm qui gère les bibs' d'une main et jongle avec ses huit autres mains entre dossiers et tâches ménagères, reste bien pré-sente.

© Groupe Eyrolles

Témoignage d'Églantine Eméyé

Dans un formidable documentaire, Églantine Eméyé, célèbre animatrice de télévision sur France 5, raconte les difficultés qu'elle rencontre avec son fils souffrant d'une forme de handicap mental proche de l'autisme. Elle y montre sans tabou les nuits entrecoupées de réveils pour nettoyer le lit de son fils, le refus de soins parfois violent, les imprévus qu'elle doit assumer seule pour prendre soin de lui.

« Je ne peux pas dire en arrivant sur le plateau : je suis épuisée, mon fils a grogné toute la nuit et il a fait pipi partout ! », raconte en substance Églantine Eméyé.

Aux États-Unis, une mère a décidé de briser ce tabou dans un court-métrage qu'elle a elle-même écrit et réalisé, *Maxed Out*. *Maxed Out* pourrait se traduire par : « hors limite », « dépassée », « épuisée ». Elle y raconte comment un jour, au volant de sa voiture, elle s'est simplement écroulée d'épuisement. « Je n'en pouvais plus, je n'avais plus d'énergie, j'étais vidée », raconte-t-elle.

Mais sus à l'ethnocentrisme. Au Sénégal, Imane souffre aussi d'un épuisement maternel intense : avec sa maison à gérer, ses trois enfants et les réceptions de son mari, elle croule sous les *to do lists*.

Il est important de souligner ici que l'épuisement maternel ne touche pas que les parents actifs. Être parent au foyer, sans travail à l'extérieur de la maison, peut aussi être source d'épuisement profond. Le regard pas toujours bienveillant que porte notre société sur les personnes inactives (définition du Bureau international du travail), le manque de reconnaissance social et familial, les tâches répétitives et ingrates... tout cela peut amener à un épuisement bien réel lorsque la situation est mal vécue et mal assumée (pour mille raisons possibles d'ailleurs).

Et les pères ?

L'épuisement maternel subit depuis quelques années un glissement sémantique vers « l'épuisement parental ». Les mères sont statistiquement plus sujettes que les pères au burn-out du parent, pour des raisons biologiques (la fatigue de la grossesse, les variations hormonales qu'elle induit, l'accouchement…), mais aussi sociales (elles dorment moins que les hommes d'après différentes études dont l'INED et « Maman travaille », et ont majoritairement plus de charge dans leur « deuxième journée »). En revanche, les pères, notamment au foyer, ou célibataires, mais aussi les pères impliqués dans les soins des enfants ou soucieux de beaucoup travailler pour subvenir aux besoins de leurs enfants, peuvent aussi être victimes d'épuisement.

Le burn-out à la maison

Dans un état de fatigue normal, vous êtes en pleine possession de vos moyens pour encaisser un éventuel coup dur. Votre psychisme fonctionne, vos neurones se connectent, vous n'êtes pas « à fleur de peau ». Bref, vous êtes vous-même.

Mais en état de fatigue intense, de pré-épuisement, un événement lourd ou difficile à vivre peut être l'étincelle qui va déclencher le burn-out.

Dans la vie, il existe toute une palette d'événements qui sont des déclencheurs positifs. Ces événements, en général, vous amènent de la joie, sont sources de bonheur, vous boostent et rechargent vos batteries pour un bon moment. Parmi eux, on trouve :
- une naissance ;
- un mariage familial ;
- des fiançailles ;
- un départ en vacances ;
- une rentrée scolaire (pour un ou plusieurs) enfants ;
- l'achat d'un logement ;
- le mariage d'un enfant ;
- l'examen d'un enfant ;
- etc.

À l'inverse, on connaît aussi tous des événements lourds à gérer et difficiles à négocier, qui peuvent, eux, être de vrais déclencheurs négatifs. Parmi eux, on trouve :
- un deuil ;
- une séparation ou un divorce ;
- un déménagement ;

- le départ d'un enfant de la maison (voire du dernier) ;
- le chômage ou un départ à la retraite ;
- une maladie ou un handicap ;
- un conflit familial ;
- la fin de vie d'un parent proche ;
- etc.

Témoignage d'Armelle, veuve de 67 ans, en conflit familial

« Je vis une situation délicate : je m'occupe beaucoup d'Axel, 10 ans, avec qui j'entretiens une complicité forte. Axel est le petit-fils de mon mari décédé, aussi je n'ai aucun droit légal sur lui. Ce qui est épuisant, c'est que je n'ai pas le droit de faire quoi que ce soit, de dire quoi que ce soit, sans autorisation préalable... La dernière fois que j'ai manifesté mon désaccord à ma belle-fille, elle m'a privée de voir Axel pendant sept mois. Je dois marcher sur des œufs et me mordre la langue en permanence, c'est épuisant... »

En état de pré-épuisement ou d'épuisement, comme vous n'avez plus aucune réserve, plus de batteries dans lesquelles puiser pour chercher un petit peu d'énergie, de ressources auxquelles faire appel, votre « circuit » risque alors de griller. C'est au cours de ces événements-là que le burn-out peut apparaître.

Heureusement, des solutions existent !

Vers un équilibre familial plus serein

En sociologie, quand on parle de conciliation vie professionnelle/vie familiale, on note deux types de conflits :
- le conflit de temps (je voudrais être à deux endroits au même moment) ;
- le conflit de comportement (je dois être doux et attentif auprès de mes enfants puis implacable une heure après au travail).

Ces situations peuvent entraîner une forme de « schizophrénie » et amener à se dédoubler alors que l'on n'en a pas la capacité (pour le temps) ou le désir (pour le comportement). Et bien sûr, c'est épuisant !

Voici pour vous aider cinq techniques concrètes pour retrouver un équilibre familial plus serein :

1. **Je laisse perdre.**

   En clair, je n'ai pas besoin d'avoir toujours le dernier mot partout, tout le temps ! Ma famille n'est pas mon ennemie et je n'ai pas besoin de gagner ou d'avoir raison avec elle.

   Action : je mets à mon programme de lire *J'arrête de râler sur mes enfants et mon conjoint* de Christine Lewicki et de Florence Leroy (voir bibliographie p. 223).

2. **Je deviens adepte du « CQFAR » (celui qui fait a raison).**

   Cette technique, énoncée par Ségolène dans le livre *Les 200 astuces de Maman travaille* (voir bibliographie p. 223), part du principe que l'on n'a pas le droit de critiquer une action que l'on ne mène pas soi-même. Votre épouse a mal rempli le lave-vaisselle ? Ne le refaites pas derrière en râlant ! CQFAR ! Cela vous évite de vous épuiser à rouspéter sans fin et permet d'éviter des conflits.

   Action : j'essaie de dire « CQFAR » sans m'énerver quand ce n'est pas fait comme je l'aurais souhaité !

3. **Je privilégie le qualitatif sur le quantitatif.**

   Paradoxalement, il s'agit de passer moins de temps ensemble pour passer mieux de temps ensemble, sans se subir ou se marcher dessus. Mais lorsque l'on est ensemble, s'y consacrer à 100 %. Par exemple, on fait un jeu de société pendant une heure complète en ne faisant rien d'autre, suivie ou précédée d'une heure de travail sans se laisser déconcentrer.

   Action : je m'inscris à une sortie, une soirée, un dîner... sans le reste de ma famille. Inversement, je programme un moment juste en famille, sans travail ni éléments extérieurs perturbateurs.

4. **Je répartis les missions domestiques.**

   Les couples qui se disputent moins sur la répartition des tâches ménagères sont ceux qui ont trouvé leur complémentarité : chacun fait ce que l'autre n'aime pas, et *vice versa*.

   Action : j'identifie ce que je déteste faire, ce qui ne me dérange pas, et *idem* avec mon conjoint ou mes enfants.

5. **Je renonce à des objectifs inatteignables de famille idéale qui n'existe que dans *La petite maison dans la prairie.***

Aucune mère ne passe ses jours à cuire des tartes aux pommes à la chaîne et aucun père ne joue du violon chaque soir en grenouillère saumon. Et alors ? N'est-ce pas l'imperfection qui fait l'intérêt d'une famille ?

Action : je me demande ce qui me dérange chez les autres, ce qui dérange les autres dans mon comportement, et je fais la part des choses entre l'acceptable et le non-acceptable.

> *« Dans un avion, on place d'abord le masque à oxygène sur soi avant de le placer sur les enfants. »*

Mes petits trucs du quotidien pour retrouver une vie familiale plus sereine

Prenez le temps de compléter ces phrases qui vont inscrire concrètement le changement dans votre quotidien.

- Je veux bien renoncer à . . . .
- Je veux bien négocier sur . . . .
- Je ne renoncerai pas à . . . .
- Je fais plaisir à ma famille en faisant . . . .
- Ma famille me fait plaisir en faisant . . . .
- Mon rituel familial ressourçant c'est . . . .

Comment j'arrête de m'épuiser avec bébé ?

Cet encadré est destiné aux parents de jeunes enfants !

→ Devenir parent est un changement important. D'abord bien sûr physiquement pour la femme qui porte l'enfant, mais aussi psychologiquement pour les deux parents qui passent de « couple sans enfants » à « couple avec enfant », voire à « famille nombreuse ». Bref dans tous les cas, ça induit un changement quasi identitaire ! Et qui dit remise en question de son identité, dit fatigue parfois intense...

→ Mais au-delà de ça, c'est presque toujours tout le système de récupération qui se trouve mis à mal : les nuits sont hachurées, on se retrouve en état d'hypervigilance permanente pendant la journée, on est inquiet à l'idée de reprendre le boulot, on

117

est partagé entre un sentiment maternel (paternel) et son envie irrépressible de reprendre sa vie d'avant, on manque cruellement de sommeil, on puise dans ses réserves, on accumule la fatigue et parfois on craque...

→ Alors voici quelques pistes pour éviter de s'épuiser :

- La nuit, si vous êtes deux, relayez-vous. Dormir une nuit complète va vous remettre sur pied, au moins pour la journée qui arrive...
- Les week-ends, si vous êtes deux, imposez-vous une sieste à tour de rôle en même temps que celle de votre bébé.
- Quand votre bébé pleure, si ça vous tape trop sur les nerfs, isolez-vous. Cela peut paraître cruel à certains jeunes parents, mais au moment où l'on atteint le bout du bout de son seuil de tolérance, mieux vaut prendre des mesures de survie. Il faut alors vérifier que, un, le bébé n'est pas en danger (étouffement, etc.) ; deux, s'assurer que ses besoins physiologiques ont été couverts (couche changée, biberon ou sein donné...) et, trois, s'isoler ! Couchez-le, fermez la porte et partez dans une pièce attenante le temps de reprendre vos esprits, plutôt que d'en venir à des gestes violents comme le secouer, ce qui pourrait avoir des conséquences dramatiques.
- Revoyez vos exigences à la baisse au moins jusqu'à ce que votre bébé fasse ses nuits. Quand vous aurez recommencé à dormir normalement, vous aurez tout loisir d'astiquer vos plinthes frénétiquement.
- N'oubliez pas que la privation de sommeil est utilisée comme moyen de torture. Alors soyez vigilant à ne pas vous faire piéger !

Le conseil de Cédric

✔ Avant toute chose, il faut savoir rester à l'écoute de soi en maintenant dans son organisation du temps pour soi. Ne pas être à 100 % mobilisé sur les moindres désirs et besoins de l'enfant et se sentir bien, rejaillit sur l'enfant et sur l'ensemble de la famille. Pour bien s'occuper de ses enfants, il faut donc commencer par bien s'occuper de soi.

✔ Quand on a une famille à charge et que l'on travaille, il importe de savoir mesurer l'importance et le besoin d'énergie de chaque activité sans en négliger aucune. Par exemple, quand on télétravaille le mercredi, il est inhumain de s'ajouter des allers-retours pour les activités extrascolaires des enfants. On s'épuisera à vouloir mener ces deux vies en même temps ! Inversement, si l'on sait qu'un événement important survient pour les enfants (rentrée scolaire, opération...), on refusera de nouveaux dossiers ou on les déplacera dans le temps. L'idée étant de savoir prioriser et de se rendre totalement disponible alternativement pour l'un ou pour l'autre, en faisant en sorte de limiter les conflits de temps.

Le conseil de Marlène

- ✓ La vie familiale nous épuise parfois pour des choses comme un bébé en âge de faire des terreurs nocturnes et qui crie toute la nuit, ou d'un adolescent qui se met à fumer... Mais la vie de famille peut aussi s'avérer bien plus dramatiquement épuisante. Vivre avec un conjoint ou un parent violent conduit à l'épuisement physique et psychologique. La palette des violences dites « intrafamiliales » est malheureusement très large et va de la violence psychique (harcèlement, critiques, comportement pervers) aux violences sexuelles en passant par les claques et les lancés d'objets.

- ✓ On l'a vu plus haut dans la pyramide des besoins de Maslow, le besoin de sécurité est l'un des fondamentaux de l'équilibre. Si vous êtes confronté à une situation de violence dans votre foyer, contactez une structure qui pourra vous aider à vous en sortir (soit en partant, soit en éloignant de votre domicile la personne violente). Des associations travaillent sur ces thèmes dans toute la France et des places d'hébergement en urgence sont disponibles pour vous, le temps que la personne violente soit écartée du foyer. Des psychologues, des assistantes sociales, sont aussi disponibles pour vous accompagner.

- ✓ Devoir cacher que l'on subit des violences chez soi ajoute à l'épuisement, et à tout ce qui la nourrit (culpabilité, faible estime de soi, traumatismes...). Ne restez surtout pas seul et ne laissez pas vos enfants grandir dans ce climat d'insécurité permanent. Faites-vous aider.

Je recharge ma batterie

- ✔ Je laisse aussi faire les autres et j'adopte le CQFAR.
- ✔ Je cherche des appuis dans mon entourage familial.
- ✔ Je revois les modes de fonctionnement qui me pèsent.
- ✔ Je privilégie le qualitatif au quantitatif.

JOUR 11
Je renonce à l'épuisement 3.0

Notre société a évolué et notre rapport au travail n'est pas le même qu'il y a cinquante ans. Notre temps de travail a progressivement diminué : avant 1936, les Français n'avaient aucun jour de congés payés ; aujourd'hui, les salariés français bénéficient théoriquement de cinq semaines minimum par an de congés payés.

Mais dans le même temps, la frontière entre vie professionnelle et vie privée est devenue de plus en plus ténue, la porosité entre nos deux vies (pro et perso) s'est accentuée. Pour le « privilège » de pouvoir réserver ses vacances ou consulter son solde bancaire depuis son lieu de travail, nous pouvons aussi consulter nos mails professionnels depuis la plage !

D'après une étude du cabinet ComScore en 2014, les Français passent en moyenne vingt-sept heures par mois sur le Net. Cette moyenne s'accroît considérablement chez les personnes ultra-connectées qui y passent la quasi-totalité de leur temps éveillé, soit en ne faisant que cela, soit en faisant d'autres choses en même temps.

Des mauvaises pratiques banalisées

Le numérique est à la fois une cause et une conséquence de l'épuisement. Passer trop de temps et d'énergie sur le Net fatigue, mais c'est aussi parfois un refuge, une sorte de réflexe pour les gens déjà épuisés, qui pensent aller « se reposer » en consommant des nouvelles technologies.

Une surconsommation de numérique doit être le signal d'un état de pré-épuisement, au même titre que « Je perds l'appétit, je n'ai plus la sensation de faim » (voir p. 23 la liste des signaux d'alertes de l'épuisement).

L'addiction engendrée par le numérique, le Net et les nouvelles technologies est parfois telle que beaucoup d'entre vous n'en ont pas conscience, pourtant les conséquences sont nombreuses.

Des conséquences physiques

« Mais je me repose en surfant sur Internet, en regardant la télé, ou en jouant à la console… »

Cet argument, maintes fois entendu, ne tient pas la route car même lorsque l'on consomme passivement des écrans, le cerveau est sollicité de façon multiple : par les sons, par les images, par les mouvements, par les interpellations… autant de signaux que notre cerveau se fatigue à recevoir, à analyser, à enregistrer… Vue, ouïe, toucher, notre corps est ultrasollicité lorsqu'il se met en situation de regarder un écran ou, pire, d'interagir avec un écran.

Et les conséquences physiques sont multiples :
- dos courbé (à force de se pencher devant l'écran) ;
- trapèzes noués ou cou bloqué (à force de rester en position assise) ;
- syndrome du canal carpien (entre poignet et doigt) ;
- tendinites aux doigts ;
- problèmes de circulation sanguine à cause de la position immobile ;
- baisse de la vue et sécheresse oculaire ;
- migraines ;
- etc.

 ### Conseils pour défatiguer vos yeux

Pour apaiser vos yeux ultrasollicités par les écrans, nous vous proposons quelques exercices simples à mettre en place avant l'arrivée de la sécheresse oculaire ou des larmes de fatigue qui « coulent toutes seules » :
→ Fermez les yeux complètement pendant 21 secondes dès qu'ils fatiguent.
→ Apposez un filtre devant l'écran de votre ordinateur.
→ Utilisez une lampe avec un éclairage doux et indirect.
→ Baissez la luminosité de l'écran d'ordinateur.
→ Travaillez sur du papier dès que l'écran n'est pas indispensable.
→ Massez le contour de vos yeux avec vos index.
→ Placez des glaçons sur vos paupières le soir pour aider à la microcirculation du sang (ne mettez pas le glaçon au contact de la peau directement, utilisez un sac en plastique ou un tissu).
→ La nuit, utilisez un masque à yeux placé préalablement au réfrigérateur.

Des conséquences sur le cerveau

Une étude menée en 2014 par le cabinet Expedia dans vingt-quatre pays du monde démontre des conséquences dramatiques sur le cerveau pour quiconque consulterait ses mails trop fréquemment. D'après André Nieoullon, professeur de neurosciences à l'université d'Aix-Marseille et président du Conseil scientifique de la Fédération pour la recherche sur le cerveau, interrogé sur le site Atlentico.fr, la consultation effrénée de ses messages entraînerait du stress permanent. L'étude diligentée par Expedia démontre même qu'elle ferait :

- perdre vingt minutes pour chaque tâche d'une heure réalisée en consultant ses mails en même temps ;
- perdre jusqu'à dix points de QI en empêchant la concentration pleine et entière ;
- naître un sentiment d'addiction dont il est difficile de décrocher, et ce, y compris le soir ou la nuit.

Pour décrocher de votre boîte mail en toute sérénité, vous pouvez ajouter un message de réponse automatique, comme celui-ci par exemple : « Bonjour et merci pour votre message. Ceci est une réponse automatique. Je m'efforce de vous répondre dans les meilleurs délais. Cordialement. » Ainsi vous savez que vous avez le temps de répondre, et votre interlocuteur ne s'attend pas à recevoir votre réponse dans la seconde.

Vous pouvez aussi vous imposer des plages horaires dans la journée pendant lesquelles vous répondez à vos mails. En dehors de ces temps-là, vous vous interdisez d'aller voir si vous avez reçu des messages, et vous êtes disponible pour tout le reste.

À propos du *binge watching*

Cette pratique implique de passer plusieurs heures consécutives devant son ordinateur : elle consiste à consommer des séries télévisées (téléchargées ou en VOD) en grande quantité, comme un « marathon ». Certains *binge watchers* consacrent plus de douze heures consécutives à leur ordinateur, avec parfois plusieurs fenêtres ouvertes en même temps...

Conseils pour *binge watcher* sans vous épuiser

Quelques règles de base permettent cependant de continuer à faire ces marathons de séries sans se mettre en danger outre mesure :

→ Ne pas déposer l'ordinateur sur soi directement, ou dans son lit, mais sur un meuble à proximité (évite la chaleur du moteur, la propagation des ondes...).
→ Placer un filtre sur son écran pour préserver les yeux.
→ Se lever ponctuellement (toutes les 25 minutes environ, c'est la durée approximative d'un soap).
→ Boire de l'eau, surveiller ce que l'on consomme.
→ Se limiter dans le temps !
→ Idéalement, ne pas *binge watcher* seul.
→ Éteindre dès que l'on sent l'endormissement arriver.

La frénésie des réseaux sociaux

Twitter est un exercice extrêmement délicat et même les professionnels les plus aguerris s'y font prendre régulièrement. L'immédiateté mais aussi la limite de 140 caractères empêchent toute nuance et limitent carrément les formules de politesse ou de mesure, pourtant essentielles à toute discussion. Si bien que l'on s'y sent parfois invectivé, obligé de répondre dans l'instant à une question posée, qui n'est pas forcément le sujet, ou qui est déformée.

Ainsi, on regrette souvent d'avoir twitté, mais on regrette moins souvent de ne pas avoir twitté. Partant de ce principe, s'abstenir et réfléchir à ce que l'on va écrire d'abord semblerait être une bonne pratique, plutôt que d'être dans l'instantané et l'impulsivité qui épuisent à la longue ! Cela permettrait aussi de prendre le temps de vérifier à qui l'on parle et de quoi l'on parle, ce qui est un préalable intéressant et toujours bon à rappeler sur le Net !

Répondre dans un délai de quinze minutes ne changera rien au fond d'une question ou d'un débat...

Il est d'ailleurs possible de désactiver temporairement son compte Twitter : il suffit pour cela de cliquer sur le lien : twitter.com/settings/accounts/confirm_deactivation

Twitter conserve toutes les données, contacts, images, etc., intacts pendant trente jours si vous désirez réactiver votre compte par la suite. Sachez-le !

Tout comme Twitter, l'utilisation addictive de Facebook épuise par son extrême exigence de réactivité. L'idée d'avoir un *like* ou de manquer un message privé angoisse parfois les utilisateurs. Alors, quand on sent que l'on approche du seuil critique d'utilisation (plus de trois statuts par jour, plus de deux heures, etc.), on peut tout simplement suspendre son compte.

Mais oui ! Il est possible de suspendre temporairement son profil Facebook. Si vous trouvez que le réseau social de Mark Zuckerberg prend trop de place dans votre vie, n'hésitez pas à abuser de cette fonction (qui permet également de réactiver votre compte à tout moment).

Pendant la désactivation, votre nom n'apparaît toujours pas, il est noir (et plus bleu), on ne peut pas cliquer dessus et nul n'a accès à votre profil.

Pour suspendre temporairement votre compte, rendez-vous sur la roue en haut à droite de votre profil, puis « compte », puis « sécurité », puis tout en bas « désactiver. » Pour le relancer, il vous faudra simplement vous reconnecter avec votre identifiant et votre mot de passe.

Si vous souhaitez seulement limiter vos visites sur votre profil Facebook personnel, mais que vous en avez besoin pour accéder à une page professionnelle que vous animez, vous pouvez simplement créer un nouveau compte, vous nommer administrateur de la page, puis passer par ce compte-ci (où vous n'aurez pas de contact et donc pas de sollicitation) pour accéder à la page Facebook que vous devez animer.

Des solutions concrètes pour décrocher

Heureusement qu'il existe des solutions pour décrocher !

Si vous prenez les choses en main à temps, vous ne serez probablement pas obligé, comme le raconte Thierry Crouzet dans son livre *J'ai débranché : comment revivre sans Internet après une overdose* (voir bibliographie p. 223), de couper totalement Internet et de pratiquer un black-out complet pour vous sortir de vos mauvaises habitudes.

Sites, blogs, newsletters, mails, réseaux sociaux… les opportunités de se connecter sont abyssales et peuvent vous entraîner dans une spirale addictive, chronophage et épuisante. Il est temps de remettre un peu de discipline et de raison dans vos pratiques.

Faites le tri

Identifiez les pages auxquelles vous êtes abonné et qui vous énervent, vous agacent, là où vous perdez du temps inutilement et désabonnez-vous-en tout simplement !

Pour cela, allumez votre ordinateur et procédez comme suit :
- Consultez votre historique et posez-vous les questions suivantes :
  - Combien de sites avez-vous visité cette dernière semaine ?
  - Combien de temps avez-vous passé sur votre ordinateur ?
  - Souhaitez-vous diminuer ce temps passé ?

- Dites stop aux newsletters invasives : perdez quelques minutes à vous désinscrire des newsletters que vous recevez par mail. Pour sélectionner les newsletters auxquelles vous voulez rester abonné, faites-leur passer ce petit test :
  - Est-ce que ce site est en lien avec ma « vie réelle » ?
  - Est-ce que j'y apprends des informations ?
  - Est-ce que j'y ai déjà rencontré des personnes intéressantes ?
  - Est-ce qu'il correspond à mon mode de fonctionnement ?
  - Est-ce que je m'y sens en sécurité ?
  - Est-ce qu'il m'apporte du positif : joie, économies, etc. ?

- Si vous avez répondu plus de trois fois « non », vous pouvez vous désabonner !

- Ouvrez l'onglet « Favoris » et « Sites le plus souvent fréquentés » de votre ordinateur. Pour savoir si vous êtes accro à ces sites :
  - Qu'est-ce que je ressens quand je ne peux pas y aller ?
  - Qu'est-ce que je ressens au moment où je m'y connecte (plaisir, satisfaction, sentiment de culpabilité, autre) ?
  - Est-ce que ce site me manque quand je ne m'y connecte pas plusieurs jours ?

24 heures sans le Net

Dans ses travaux, Michael Stora, psychologue et psychanalyste, fondateur de l'Observatoire des mondes numériques en sciences humaines, explique la chose suivante : avoir peur de se déconnecter, c'est aussi avoir peur de l'abandon, d'être oublié, de manquer quelque chose ou quelqu'un.

Quand vous vous déconnectez, demandez-vous ce que vous avez peur de manquer.

Je me déconnecte de tout pendant 24 heures

Si vous êtes très accro au Net, il peut être intéressant de tenter cette expérience.

Déconnectez-vous pendant vingt-quatre heures et notez votre ressenti au cours de la journée.

. . . .

. . . .

. . . .

Pour ceux que ça n'effraie pas – vingt-quatre heures sans Internet ? même pas mal ! –, essayez donc la semaine entière.

Attention : comme pour un régime ou comme pour arrêter de fumer, prévenir les gens que l'on va se déconnecter peut être contre-productif. Alors ne dites rien ! (Mais faites les choses intelligemment, en créant des réponses automatiques par exemple.)

Vingt-quatre heures sans connexion devraient vous permettre de relativiser :

• Avez-vous manqué un événement ou une information primordiale ?
• Avoir connaissance de vos mails une demi-journée plus tôt aurait-il changé le cours des choses ?
• Les personnes qui vous contactent par mail ne peuvent-elles pas vous téléphoner ou se déplacer en cas d'urgence ?
• Pensez-vous avoir l'obligation de répondre dans la minute aux mails que vous recevez ?

Remplacer le Net n'est pas toujours souhaitable, mais pour ces vingt-quatre heures sans connexion, voici quelques stratégies de contournement :

• Vous vous connectez le matin sur les réseaux sociaux pour avoir accès à l'information ? Achetez plutôt le journal quotidien, écoutez la radio...
• Vous envoyez des mails à vos collègues ? Envoyez plutôt des SMS ou téléphonez.

Ça vous paraît simple ? Pourtant, la force de l'habitude nous fait parfois oublier qu'il était aussi possible de communiquer avant Internet.

Ces vingt-quatre heures vont vous prouver que le Net continue de tourner sans vous – mais que vous pouvez vivre sans lui ! Ce constat simple, mais passé à l'épreuve de l'expérience, devrait vous permettre d'établir un rapport moins épuisant au numérique...

Mettez vos ados à l'abri

L'addiction aux réseaux sociaux est une véritable question de société et de santé publique. Récemment, une jeune fille de 16 ans s'est pendue à la balançoire chez ses parents, dans le Nord de la France. En cause ? Un réseau social très dangereux dont l'interdiction avait déjà été demandée à maintes reprises. Ce réseau permet de poser des questions en direct et anonymement aux internautes connectés. La jeune fille y était harcelée littéralement, avec une fréquence incroyable de questions méchantes et négatives du type : « Quand est-ce que tu te pends ? », « T'as vu ta gueule ou pas, comment tu peux penser que t'es belle ? ». Elle a fini par réellement se pendre, isolée et ne sachant pas comment mettre fin à cette spirale infernale.

Le harcèlement scolaire ou professionnel a toujours été un problème grave, mais avec l'avènement des réseaux sociaux, il ne s'arrête plus aux frontières des écoles ou des entreprises, il pénètre l'intimité des personnes et ne s'arrête ni la nuit, ni le week-end.

Prendre le temps de la discussion avec nos ados – qui sont des cibles de choix – à propos des dérives d'Internet (et des multiples intérêts, bien sûr, il ne s'agit pas de diaboliser la Toile, au contraire), va leur permettre d'avoir le discernement nécessaire le jour où ils seront confrontés à ce type de situations extrêmes (qu'ils soient acteurs ou victimes d'ailleurs).

Faites valoir votre droit à la déconnexion

Plusieurs syndicats sont récemment montés au créneau pour exiger un « droit à la déconnexion » des cadres, sollicités en permanence, craignant de rater un appel ou un mail. La CGC et la CFDT ont fini par signer un accord de principe avec le Syntec (secteur du consulting), affirmant aux cadres et aux dirigeants salariés le droit de ne pas être connectés à leurs ordinateurs ou smartphones 24 heures sur 24.

La campagne de communication, très efficace, montrait un couple dont l'un dormait et l'autre s'épuisait à la lueur d'un ordinateur, incapable de « décrocher ».

Quitte ensuite à chacun de se fixer ses propres limites, tâche ô combien difficile !

Pour prendre les devants, des entreprises comme Wolkswagen ou Carrefour ne permettent pas à leurs cadres de consulter leurs mails en dehors des horaires de présence effective au bureau. Chez Microsoft, l'envoi de mails est interdit le week-end pour préserver le temps de repos des collaborateurs. Certains dirigeants de start-up de la Silicon Valley vont même jusqu'à bannir les ordinateurs des apprentissages de leurs enfants !

Le conseil de Cédric

✓ Se donner un temps dédié pour éviter le black-out total.

✓ Comme toute activité potentiellement addictive, s'aménager un temps maximal d'utilisation quotidienne peut être un salut efficient. Par exemple, s'octroyer une à deux heures d'activité, pas plus.

✓ Dans un premier temps, on peut se programmer une petite alarme sur ordinateur ou téléphone, avertissant que l'échéance du temps consacré arrive : cela permet de clore la conversation et de donner rendez-vous au lendemain.

✓ Si vous ne pouvez pas vous empêcher de consulter vos mails professionnels le soir et le week-end, ou que vous y êtes tenus, donnez-vous des heures définies : par exemple, de 21 heures à 21 h 15, vous consultez vos mails. Cela évite la frustration du black-out total, crée un temps de repos sans connexion tout en laissant un temps dédié à l'activité en question. Vous restez joignable, mais dans la mesure du raisonnable et en évitant de vous épuiser toute la nuit sur vos mails.

✓ Dans tous les cas, consulter vos mails ne doit en aucun cas, et sous aucun prétexte, être votre dernière activité avant l'endormissement.

J'habite dans une vieille maison des années trente qui se tient sur trois niveaux, comme beaucoup de maisons au Mans. Au dernier étage, la connexion Internet n'arrive pas... C'est ennuyeux, puisqu'il y a mon bureau ! Après avoir voulu installer un amplificateur pour capter au dernier étage, je suis finalement ravie : impossible de me connecter le soir ou la nuit, de ma chambre. Mon lit est donc « connection-free » ! Quant au bureau, je fais mes recherches dans une pièce connectée et je monte ensuite écrire, sans être tentée de surfer sur Facebook ou Youtube... La productivité s'en trouve améliorée. L'idée de « pièces sans connexion » dans une maison me semble à creuser ! Les créateurs de start-up de la Silicon Valley à San Francisco se mettent à en installer. Tout un symbole !

Je recharge ma batterie

JOUR 11

✔ Je réduis mon temps quotidien devant un écran.

✔ Je me fixe des horaires stricts pour consulter et répondre à mes mails.

✔ J'évite de *binge watcher* tous les week-ends.

✔ Je coupe mon téléphone pendant les repas et la nuit.

✔ Je m'autorise à couper les réseaux sociaux ponctuellement.

✔ Je passe régulièrement 24 heures déconnecté de tout.

JOUR 12

J'apprends à dire non

Dans « J'arrête de m'épuiser », nous l'avons vu, le pronom importe beaucoup. Il vous appartient, à vous, de savoir quand vous ne pouvez pas, quand vos capacités sont surestimées, et quand vous devez mettre une barrière. Vous seul êtes habilité à fixer vos propres limites. Lorsqu'il s'agit de dire « oui » ou « non », ne vous mettez pas dans la peau de votre interlocuteur, mais dans la vôtre.

Avant d'aller plus loin dans la réflexion, il est peut-être nécessaire de faire un petit point sur votre capacité à dire non en suivant l'exercice ci-après.

Suis-je capable de poser des limites ?

Prenez un stylo et posez-vous ces quelques questions :
• Savez-vous dire non ?
• Pourquoi vous n'osez pas dire non ?

. . . .

. . . .

• À qui n'osez-vous pas dire non ?

. . . .

. . . .

• Quelles conséquences cela entraîne quand vous n'osez pas dire non ?

. . . .

. . . .

• Avez-vous déjà prévu de dire non et finalement, dit oui ?

. . . .

. . . .

- Souvenez-vous d'une fois où vous avez osé dire non : que s'est-il passé ?

. . . .

. . . .

Si vous faites partie de ces nombreuses personnes qui sont incapables dire non et qui de fait se laissent facilement envahir et épuiser, répondre à ces questions va vous permettre de prendre conscience qu'il est possible de faire autrement.

Établir un contrat clair

Il est nécessaire d'avant tout vous répondre à vous-même, pour ensuite seulement répondre à la demande des autres.

Prendre conscience de ce qui se joue pour vous en disant « oui » ou « non », puis établir un contrat clair basé sur un engagement que vous respecterez et qui ne vous épuisera pas.

Dire oui alors que l'on pense non ou dire oui alors que l'on n'a pas les capacités d'assumer une promesse crée un delta entre l'attente projetée sur vous par l'autre (« il a dit oui, il va le faire ») et la réalité (« j'ai dit oui mais je ne suis pas en capacité de le faire »). À la clé, de la déception et/ou de l'épuisement... Dire non, c'est arrêter un schéma d'épuisement !

Si vous ne savez pas dire non, alors que vous aimeriez, c'est que probablement vous craignez quelque chose :
- de blesser la personne à qui vous dites non ;
- d'être rejeté pour avoir dit non ;
- de rater quelque chose en disant non ;
- qu'on ne vous aime plus, si vous ne dites pas oui ;
- de passer pour feignant, peu serviable ;
- etc.

Mais quand on aimerait dire non et qu'on ne le fait pas, on complique terriblement ses relations aux autres, et on les rend même parfois désastreuses.

Témoignage d'Émilie, ancienne jeune free-lance

« Je venais de me lancer en free-lance. Je voulais prouver que j'étais compétente. Alors je disais oui à tout, j'allais même au-delà de la demande de mes clients. Résultat : j'étais épuisée parce que je devais mener à bien des missions que je n'avais acceptées que pour éviter de devoir répondre non.

Pendant des années, je me suis positionnée en victime dont les autres abusaient avec leurs demandes incessantes. Je n'avais de cesse de me plaindre, de dire que mes clients et partenaires successifs exagéraient dans leurs demandes... Inévitablement, je terminais lessivée, sur les rotules, et avec la sensation que l'on m'avait pressurisée ou que l'on s'était servi de moi. Mes relations ne pouvaient pas être apaisées.

À partir du moment où j'ai commencé à dire non, mes relations avec les autres sont devenues beaucoup plus sereines. »

En effet, les relations sociales entre les individus sont, en général, fondées sur des accords, des sortes de contrats tacites du type : « Qu'est-ce que je peux attendre de toi/qu'est-ce que tu peux attendre de moi ? » À partir du moment où ce contrat tacite est clair pour tout le monde, les relations sont apaisées. Si en revanche l'un des protagonistes a des attentes démesurées vis-à-vis de l'autre, ou des attentes dont il n'est pas informé, la relation devient vite épuisante pour les deux parties.

À partir du moment où l'on se met au clair en disant : « Non, tu ne peux pas attendre ça de moi (pour cette fois ou pour toutes les autres fois) », la relation peut s'établir sur des bases claires et être sereine. Il n'y a alors plus de crainte à devoir dire non.

Un non tout en douceur

Dans un premier temps, si la réponse « non » vous semble trop abrupte, voire difficile à prononcer, commencez par mettre une distance :
- « Il faut que je consulte mon agenda. »
- « Je dois d'abord faire valider par... »
- « Il faut étudier les modalités. »
- « J'en parle avec la personne chargée du planning et je reviens vers vous. »
- « Je vous donne une réponse d'ici à mardi. »
- « Je ne sais pas encore. »
- « Je vais y réfléchir. »

Ces réponses types ont l'avantage de proposer à votre interlocuteur une réponse ouverte, ni oui (qui vous engagerait) ni non (qui vous semble trop violent). Vous avez alors tout loisir de réfléchir posément et d'apporter une réponse négative par la suite.

Mais attention, si vous n'avez pas le courage de vous lancer dans un débat argument/contre-argument, n'évoquez pas tout de suite les motifs de vos freins, au risque de les voir balayés par votre interlocuteur.

Voici un exemple classique de demande acceptée à contrecœur :
— Peux-tu venir vendredi à 15 heures pour travailler sur ce dossier ?
— Euh non, je dois aller chercher les enfants...
— Viens avec eux !
— Oui, mais j'ai aussi le dîner à préparer pour les invités, c'est l'anniversaire de Tom.
— Oh, tu leur feras des surgelés ! Et puis tu seras rentrée à 17 heures maxi.
— Avec les embouteillages, ça m'embête...
— Ah bon, c'est comme tu veux, hein, je ne t'oblige pas. Si tu ne veux pas travailler...
— Si, si, je vais venir.

Voici maintenant le même exemple avec une réponse ferme et définitive :
— Peux-tu venir vendredi à 15 heures pour travailler sur ce dossier ?
— Non, je ne peux pas.
— Ah c'est dommage, c'était important.
— Je n'en doute pas, mais je ne peux pas.

Autre exemple avec une réponse « botte en touche » :
— Peux-tu venir vendredi à 15 heures pour travailler sur ce dossier ?
— Je vais consulter l'équipe et mon agenda, je reviendrai vers toi.
— Mais là, comme ça, tu penses être disponible ?
— Je vais consulter l'équipe et mon agenda, je reviendrai vers toi.

Dire non, ce n'est pas nécessairement renvoyer l'autre dans ses buts, c'est lui faire comprendre de façon intelligible que vous ne pouvez pas accéder à sa demande.

Un oui en toute connaissance de cause

Si vous ne savez pas dire non parce que vous pensez sincèrement pouvoir y arriver, c'est que vous surestimez sans doute vos capacités. Avant de dire oui à une demande, il est primordial de bien réfléchir à ses capacités et à la nature exacte de la demande.

Par exemple :
— Je cherche quelqu'un pour s'occuper de mon chat cette semaine... Tu pourrais le faire ?
— Oui pas de problème !

Là, vous acceptez en pensant qu'il suffira d'aller déposer des croquettes et changer une litière deux fois dans la semaine. Or, la personne va vous expliquer qu'elle cherche en fait quelqu'un pour aller chaque matin et chaque soir vérifier l'état de son appartement, si le chat est toujours là et en bonne santé, le laisser sortir dehors puis attendre son retour pour fermer la fenêtre, le faire jouer avec des balles...

Le problème, c'est que le contrat de base n'est pas clair. Dans cet exemple, « s'occuper de mon chat » peut signifier tout comme rien. S'il vous arrive de dire « oui » à des demandes parce que vous le pensiez sincèrement, puis de vous retrouver coincé, c'est que le contrat moral de base manquait de contours.

Alors avant de dire « oui » d'emblée, faites-vous préciser : le temps que ça prendra, la nature de l'engagement, sa fréquence... Demandez-vous si vous y êtes obligé et ce que ça vous rapportera vraiment.

Dire non, c'est aussi dire stop

Il existe parfois des situations tellement établies que votre entourage ne peut pas penser une seconde à ce que les choses changent. Mais si certaines de ces situations vous pèsent (que ce soit au travail ou à la maison), il va falloir prendre votre courage à deux mains et oser renverser la vapeur !

Par exemple :
- Je m'occupe toujours de la prise de notes.
- C'est moi qui doit licencier les salariés de ma *business unit*.
- J'ouvre la porte aux visiteurs de mon lieu de travail alors que ce n'est pas mon travail.
- Je garde les enfants de mon mari le vendredi soir quand il va au poker.
- Je fais les cafés pendant les réunions.
- On me téléphone le soir hors des horaires de bureau.
- Un collègue a pris l'habitude de me laisser son travail à finir quand il part.
- Etc.

Comment mettre un terme à ces situations où vous vous sentez floué ?

Eh bien, il suffit simplement de mettre un terme à l'habitude entretenue jusque-là...
- Vous ne prenez plus les notes.
- Vous n'allez plus ouvrir la porte.
- Vous ne gardez plus les enfants de votre mari quand il va au poker.

L'arrêt de l'habitude peut se faire très simplement, avec le sourire, d'un simple « Non, je ne peux pas ce soir » ou « Tiens, on va changer un peu la personne qui prend les notes ».

Il importe là de ne surtout pas reprocher aux autres le « non » que vous ne savez pas formuler (ou mettre en œuvre) avec par exemple une phrase du type : « Oui mais c'est toujours moi qui prends les notes ! Y'en a marre ! Pourquoi personne ne le fait ? » Cette réaction ne serait pas

> *« La vente commence quand le client dit non. »*
> **Elmer Letterman**

comprise de vos interlocuteurs, qui ne vous ont jusque-là rien demandé... et qui pourraient vous faire passer pour une personne passive-agressive !

Et si l'on vous demande des justifications, assumez froidement la responsabilité de vos actes : « Jusque-là, je me suis toujours porté volontaire pour la prise de notes. Je ne le suis plus. Qui veut le faire ? »

Essayez, vous verrez, ça fonctionne à merveille !

Le conseil de Cédric

- ✔ Un principe de base : ne jamais dire « oui » avant d'avoir évalué sa charge de travail.

- ✔ Il y a un préalable à la réponse « oui » ou « non » : bien connaître sa charge de travail. Quelqu'un qui n'a pas une vision claire et précise de sa charge de travail présente et à venir ne pourra pas apporter une réponse « oui » ou « non ». Or, la réponse « oui » ou la réponse « non » engage sur la durée. C'est un contrat tacite entre la personne qui demande et la personne qui répond.

- ✔ Si l'on estime que sa charge de travail approche la capacité optimale (attention : optimale et pas maximale), alors on peut répondre non. La différence entre charge de travail optimale et charge de travail maximale réside justement dans l'épuisement : en charge de travail optimale, on est au top, en capacité de rendre un travail de qualité et dans les délais impartis. En charge de travail maximale, on a dépassé l'optimal, on entre donc dans une phase où l'on travaillera dans l'urgence et avec une qualité moindre.

- ✔ Dans l'idéal, on ne doit jamais atteindre la charge de travail maximale pour garder une marge de manœuvre et faire face aux urgences, aux impondérables, aux surcharges sur un dossier dont on est déjà responsable.

  Un manager digne de ce nom comprendra toujours que l'on ne veuille pas, que l'on ne puisse pas dire « oui » quand on n'est pas en capacité de rendre un travail de qualité.

Le conseil de Marlène

✓ Lorsque j'ai créé le site « Maman travaille », j'ai commencé à recevoir de plus en plus de mails me demandant toutes sortes de conseils et services. Au début, pensant bien faire, j'y consacrais tous mes dimanches, au détriment de mes proches bien entendu.

✓ J'ai mis du temps à réaliser que je n'étais pas tenue de fournir toutes ces réponses et que mon incapacité à dire « non » me vampirisait et m'épuisait.

✓ J'ai finalement mis au point une réponse claire qui oriente vers des aidants en capacité et en compétence d'aider, respectueuse de la demande. Jamais je n'ai eu de retour négatif à cette réponse.

✓ Parfois le choix de répondre « oui » n'est pas le bon s'il vous met dans une situation de stress et d'épuisement. Il ne faut alors pas hésiter à prendre les choses en main pour les changer.

✓ Aujourd'hui, j'ai mis en place un mode de fonctionnement avec des règles claires : je donne des conseils sur des horaires de « tchat » et d'échanges et lors de rencontres avec des créneaux horaires définis. Chacun sait quand il peut attendre une réponse, et j'aide dans des limites données. Aider, oui. Faire à la place de, non !

Je recharge ma batterie

✔ Je sais qu'il est possible de dire non.

✔ J'établis un contrat d'attente bien clair avec les autres.

✔ J'arrive très bien à dire non tout en douceur.

✔ Je ne me précipite plus pour dire oui.

✔ Je sais dire « Je vais réfléchir » à une demande que l'on me fait.

✔ Je sais mettre fin à une habitude qui ne me convient plus.

JOUR 13

J'apprends à me détendre

Quand on s'épuise, on ne sait plus se détendre. On ne parvient pas à lâcher prise.

Même lorsque l'on s'allonge, le cerveau continue à mouliner, on trépigne, on s'énerve, et on s'épuise encore plus ! Il devient alors essentiel de savoir se détendre.

Respiration, relaxation, méditation, tout est bon pour détendre son corps et son esprit…

Il existe une multitude de pratiques et de disciplines pour apprendre à se détendre et à lâcher prise. Celle qui vous conviendra, à vous, sera la bonne. Il est parfois nécessaire d'essayer plusieurs pistes avant de trouver la solution. Nous vous parlerons ici du yoga et de la méditation qui sont assez unanimement reconnus pour avoir fait leurs preuves.

Témoignage de Sarah, directrice de pub, mère de trois enfants

« J'ai difficilement supporté mes premiers cours de yoga, le silence et la promiscuité n'étaient pas pour me plaire… Néanmoins j'y ai appris des mouvements relaxants et des étirements. Par la suite, j'ai fait de la zumba dans un night-club. J'ai donc mixé les deux afin de créer ma propre gym antiépuisement : le début en yoga pour m'étirer, prendre conscience de mon corps… Puis si j'ai de l'énergie à vider ou un énervement à passer, je poursuis en mouvements de zumba ! Sinon, chaque matin, je vole mes cinq minutes chrono de yoga. »

I love yoga

Le yoga est cité spontanément en exemple par de nombreuses personnes, comme méthode efficace de prévention de l'épuisement.

À la croisée de la pratique spirituelle, du développement personnel, de l'activité sportive, le yoga permet de connecter le corps à l'esprit et l'ensemble des deux à son environnement.

> « *Mieux vaut un fou faisant ce qu'il sait faire que cent sages faisant ce qu'ils ne savent pas faire.* »
> **Proverbe corse**

Syndrome du côlon irritable, nervosité, troubles de l'endormissement, les spécialistes du yoga jurent qu'il agirait sur ces pathologies et bien d'autres encore.

Le yoga invite à méditer, on le pratique donc en solo sans problème. Mais le yoga peut aussi permettre de renforcer des liens entre plusieurs personnes : le yoga « maman-bébé » est par exemple de plus en plus prisé, au même titre que les ateliers de massages de bébé, pour interagir avec son enfant. En couple, le « kama sutra yoga » permet une approche tantrique des rapports amoureux et renforce la connexion spirituelle entre deux personnes. Autre variante du yoga, le « yoga du rire », créé par le docteur Kataria, fait son apparition dans les milieux professionnels désireux d'inviter leurs équipes à partager des émotions.

La pratique du yoga est recommandée aux personnes épuisées ou sur le point de l'être, notamment parce qu'elle permet d'écouter son corps et de régénérer le lien corps/esprit qui se délite à l'approche d'un burn-out.

Nous vous proposons ici quelques-unes des principales postures de yoga qui vous aideront à vous recentrer. Faites-les à votre rythme, sans forcer !

1. Tenez-vous debout, bien droit(e), abdominaux engagés, paumes de mains jointes au niveau du sternum.
2. Inspirez, levez les bras vers le ciel, regardez vos pouces en relâchant la tête en arrière.
3. Expirez en relâchant le torse en avant. Pliez les genoux si vous avez le bas du dos sensible. Relâchez bien votre nuque, les trapèzes et tentez de ramener le visage à vos genoux.
4. Inspirez, tendez votre jambe gauche en arrière et posez le genou gauche au sol. Votre jambe droite est pliée en angle droit. Vos mains sont bien à plat de part et d'autre de votre genou droit.
5. Expirez, poussez dans les mains et les fessiers vers le plafond pour vous retrouver en V inversé. Tentez de pousser les talons en direction du sol.
6. Inspirez et descendez en planche. Posez les genoux au sol et fléchissez vos bras qui restent collés au torse.
7. Inspirez, poussez dans vos mains sur le sol, étirez le torse en regardant vers le haut, en étirant ventre et gorge.

Je médite donc je suis

La méditation est souvent perçue comme ennuyeuse par les personnes en état d'hyperactivité, épuisées et dispersées. Et pourtant, elle est une solution efficace pour activer la capacité de concentration ! L'idée de la méditation, c'est de réussir à concentrer ses pensées sur un sujet donné, sur simple décision, sur ordre du cerveau.

Méditer permet de renforcer ses capacités cognitives, mais aussi de réguler le rythme cardiaque et d'éloigner les crises d'angoisse.

Quand on médite, on ne « philosophe » pas, c'est-à-dire que l'on ne réfléchit pas à un sujet, au contraire, on apprend à faire le vide.

Voici deux exercices de méditation, simples et accessibles à tous.

Je respire en couleur

Vous allez vous concentrer ici sur la respiration, sur l'air qui entre et qui sort de votre corps.

Installez-vous confortablement, assis(e) ou allongé(e). Choisissez une couleur pour votre air : bleu, par exemple. Visualisez l'air que vous inspirez et qui rentre dans votre nez, puis pénètre vos poumons, puis fait le trajet inverse pour ressortir par votre bouche. Imaginez bien tout ce bleu qui entre, vous nourrit d'oxygène, puis ressort de vous avec du dioxyde de carbone.

Pour l'air qui ressort, imaginez un bleu plus foncé, chargé des énergies négatives que vous jetez dehors en respirant.

Répétez l'opération autant de fois que nécessaire. Vous vous sentez normalement plus apaisé(e) et plus calme ; et vous vous êtes entraîné(e) à rester concentré(e) sur une pensée en particulier à l'exclusion de toute autre.

Ce petit exercice peut se pratiquer partout, dès que vous sentez que vous vous épuisez : dans les transports, en voiture, au travail, pendant une réunion, face à votre ordinateur… Essayez dès maintenant : bleu clair, on inspire… l'air circule dans votre corps… bleu foncé, on expire…

La méditation dans tout le corps

Ce deuxième exercice se pratique de préférence allongé(e). C'est un préalable à certaines méthodes de relaxation ou à certains yogas. Il s'agit de prendre conscience de tout son corps. Non seulement cette méditation dans tout le corps permet de s'apaiser et de se relaxer, comme la précédente, mais elle aide aussi à se connecter avec son propre corps et à mieux ressentir ses besoins physiologiques.

Visualisez une boule symbole de l'énergie positive et de l'équilibre. Cette boule part de votre orteil droit. Elle remonte, et vous la visualisez remonter dans votre pied, votre cheville, votre mollet, votre genou, etc. jusqu'à votre tête. Puis, vous la faites redescendre par l'autre côté de votre corps.

Cette manière de prendre conscience totalement de son corps et de s'y connecter permet de lui « ordonner » plus facilement (de se relaxer, de s'endormir…). Vous pouvez, par exemple, visualiser une boule d'énergie tonique si vous avez besoin de vous dynamiser, ou une énergie reposante qui endort, le soir… Une fois que vous savez respirer ainsi chez vous, au calme, vous pouvez répéter cet exercice au dehors, en situation de stress, pour vous apaiser.

Le conseil de Cédric

✔ Le cerveau a besoin de signaux pour comprendre qu'il ne travaille pas.

✔ Il est très difficile de se relaxer sur commande quand on est habitué à être en tension permanente. Lorsque l'on travaille à un rythme soutenu, le corps doit s'habituer à prendre des pauses et à décrocher de son activité en cours.

✔ Les pauses doivent intervenir toutes les deux heures, afin de laisser un cycle de concentration se former. Elles peuvent survenir en accompagnant un collègue fumer une cigarette, marcher un peu, prendre l'air dehors, passer un appel personnel agréable…

✔ Dans beaucoup de grandes entreprises, les pauses sont prises à l'intérieur même de la structure. Avec la création de cantines, de cafétérias, de lieux de détente – au demeurant très pratiques – directement sur place, les travailleurs sortent de moins en moins au dehors.

✔ Or, le cerveau a besoin de comprendre par différents signaux qu'il n'est plus en train de travailler. L'environnement en est un. On peut donc consacrer quelques minutes de sa pause à sortir concrètement de l'enceinte du lieu de travail pour aller dans un endroit plus neutre et moins connoté « activité professionnelle », dans la mesure du possible et du règlement intérieur de l'entreprise – mais *a minima* pour les longues pauses (déjeuner, etc.).

Le conseil de Marlène

✓ Ne penser à rien : voilà qui demande de la concentration ! Faites l'essai, pendant un moment de détente (massage, coiffeur, repos...), si vous vous laissez aller, votre corps se détendra mais vous penserez sans doute à vos missions : un genre de *to do list* se fera naturellement dans votre tête...

✓ D'où l'importance de la méditation, ce que l'on appelle la « pleine conscience » : privilégiez l'instant présent et ne pensez qu'à l'instant présent. Le vent sur votre visage, l'eau sur vos cheveux, la chaleur sur votre peau... Concentrez-vous sur votre corps et sur vos sensations. Cette pensée mobilisera vos neurones et vous empêchera de concevoir une recette d'osso bucco ou de penser qu'il faut changer les piles de la télécommande alors que vous devez vous détendre !

Je recharge ma batterie

✔ Je teste différentes techniques de relaxation.

✔ Je m'initie au yoga.

✔ Je fais appel à la respiration relaxante.

✔ Je médite pour laisser mes pensées se fluidifier.

J'essaie la sérendipité !

La sérendipité, c'est l'art de laisser les choses venir à vous à l'improviste.

Adopter la sérendipité pour mode de fonctionnement, c'est laisser venir, accepter d'accueillir de l'imprévu avec bienveillance, de se laisser détourner d'un chemin, de se perdre en route…

La sérendipité tient donc une place importante dans le cercle vertueux de « J'arrête de m'épuiser ». De moins en moins épuisé, on est capable de lâcher prise et d'accueillir l'imprévu… La sérendipité nous entretient dans ce mode de fonctionnement « hors de contrôle ».

Au royaume de Serendip

Le royaume de Serendip est un lieu fictionnel, imaginaire, que l'on découvre dans un conte oriental, *Voyages et aventures des trois princes de Serendip*, traduit du persan en français en 1719 par le chevalier de Mailly. Mais c'est Horace Walpole (homme politique, écrivain et esthète britannique) qui a créé le mot « sérendipité », en 1754 dans une lettre à un lointain cousin, pour désigner cette capacité à « découvrir par hasard et sagacité des choses que l'on ne cherchait pas ».

La sérendipité, c'est aussi considérer que le voyage importe tout autant que la destination. Dans *Tout savoir sur… la sérendipité*, (voir bibliographie p. 223), Henri Kaufmann raconte la sérendipité appliquée à Internet. Il nous est à tous arrivé de faire une recherche sur Google et, de page en page, de nous retrouver sur un site qui n'a strictement rien à voir et d'y faire une découverte étonnante !

Mais la sérendipité, ce n'est pas seulement marcher le nez au vent et ne rien faire… Au contraire, cet état d'esprit permet de se rendre disponible pour écouter les signes que l'on reçoit, que l'on envoie, et parfois tout simplement pour ouvrir les yeux et voir ce qui se trouve en face de nous.

Parmi les découvertes célèbres dues à la séren-dipité, on pourrait citer le Coca-Cola, le Vel-cro, le Viagra, la pénicilline... Tous ont été découverts alors que leurs inventeurs menaient des recherches dans un tout autre domaine. Ne pas s'arrêter à « son but » mais accepter d'expérimenter ce qui se présente les a menés là ! La décou-verte de l'Amérique est finalement aussi due à la sérendipité, puisque Christophe Colomb cherchait les Indes !

« Le meilleur moyen de trouver, c'est de ne pas chercher ! »

Un mode de fonctionnement relaxant et créatif

La sérendipité est un réflexe à adopter lorsque l'épuisement survient. Cesser son travail, arrêter de buter sur un problème, sortir, se promener, s'aérer... permet parfois non seulement de faire une pause mais aussi et surtout de trouver la solution. Dans *Nadja*, André Breton raconte aussi comment il tombe sur « la plus belle femme du monde » en errant dans Paris. Comme quoi, il faut parfois savoir se laisser guider...

En pratique, il existe au moins trois trucs pour adopter la « sérendipité attitude » :
- aller à un rendez-vous à pied et non en transports ou en voiture ; accep-ter de se perdre, de prendre un autre chemin ;
- laisser des « trous » dans son agenda pour faire place à l'imprévu ;
- s'ouvrir aux nouvelles rencontres, discuter avec les gens que l'on croise.

Chez Google et dans d'autres sociétés de la Silicon Valley, des baby-foot et des jeux vidéo sont mis à disposition des ingénieurs et autres salariés. Ne nous trompons pas, ce n'est pas uniquement pour aider au bien-être des salariés, et pas uniquement altruiste... C'est aussi pour laisser courir leur « sérendipité » et leur permettre de s'écrier « Eurêka » le moment venu !

Témoignage de Cassandre, chercheuse qui laisse sa tête penser à sa place

« Ça faisait deux mois que je cherchais la solution à un problème. Je devais fournir un dossier à un premier client. Et parallèlement, sur le même sujet, j'essayais de sauver un contrat avec un autre client, pour ne pas avoir travaillé pour rien. Ces deux problèmes insolubles étaient pour moi complètement distincts. J'ai passé trois mois à m'arracher les cheveux dessus. Et puis en août, vaille que vaille, je suis partie en vacances. Le premier jour, je suis allée à la plage, j'ai fermé les yeux et j'ai pensé à tout autre chose... Et là, c'est comme si mes idées étaient sorties de leurs chemins tout tracés et avaient quitté leurs sillons pour se rencontrer. Soudain, ça m'est apparu clairement ! Je devais laisser tomber le problème de mon deuxième client (que je tentais de rattraper à tout prix), et proposer le travail que j'avais déjà fourni à mon premier client. Tout a été résolu en quelques secondes, depuis la plage, parce que j'avais arrêté de penser de manière clivée, sectorisée, dossier par dossier, et que j'avais accepté de laisser ma tête penser à ma place, de laisser divaguer mes pensées. »

Comme on peut le visualiser sur le schéma suivant, la magie et l'inattendu ne peuvent se produire qu'en dehors des sentiers battus. Ainsi, si vous avez déjà organisé absolument toute votre vie à la minute près, vous n'aurez pas la possibilité de saisir les éventualités qui s'offrent à vous.

JOUR 14

Là
où la magie
opère

Votre zone de confort

Je « sérendipite » tous les jours !

La sérendipité n'est pas uniquement une façon de se promener au lieu de travailler. Non, c'est bien plus que cela : c'est aussi l'art et la manière de voir et d'interpréter les signes. Or, le propre des signes, c'est que l'on décide de les voir ou de ne pas les voir, puis vient la manière dont on les interprète. Tout est un signe, rien n'est un signe !

Pour « sérendipiter » au quotidien, vous devez dans l'ordre :
- Repérer les signes positifs de votre environnement.
- Les interpréter.
- Laisser libre court à votre créativité.
- Vous connecter avec votre inconscient.
- Écouter vos envies.

Prenez le temps de noter à la fin de votre journée où vous a mené(e) votre « sérendipité attitude ». Et n'oubliez pas que le voyage importe autant que la destination.

. . . .

. . . .

. . . .

. . . .

. . . .

Décrocher, c'est bon pour la créativité et donc, la performance ! La plupart des créateurs célèbres (Victor Hugo, Dostoïevski, Mozart, Dickens...) consacraient du temps à ne rien faire, à se promener, et avaient des plages de travail très bien définies et régulières. Ce faisant, leur cerveau et leurs neurones assimilaient qu'un temps était dédié au travail et qu'un autre temps était dédié à autre chose.

Gustave Flaubert disait d'ailleurs : « Menez une vie de bourgeois, régulière, millimétrée, afin de pouvoir être créatif et violent dans votre œuvre ! »

Je recharge ma batterie

✔ Je laisse les choses venir à moi.

✔ Je laisse de la place à l'imprévu dans mon agenda.

✔ Je pars du principe que quelque chose de bien, d'agréable, peut m'arriver.

✔ Je m'ouvre aux autres.

✔ Je sais reconnaître les signes positifs.

JOUR 14

Bravo ! Vous avez terminé le programme de la deuxième semaine.

Vous avez réussi à reprendre la main sur votre environnement professionnel et personnel, sacrée réussite !

Pour consolider les changements qui s'installent désormais dans votre quotidien, nous vous proposons un dernier challenge : celui de déléguer. Vaste programme...

Dans les formations que nous animons en prévention de l'épuisement, nous concluons toujours avec une demande : pensez à une chose que vous pouvez déléguer. Que ce soit chez vous, dans votre univers professionnel,

149

social, associatif, bénévole, amical... il y a forcément une chose que vous faites et que vous pourriez, sans que ça n'ait de conséquence lourde, arrêter de faire et transférer à quelqu'un d'autre !

Par exemple :

- trier et rassembler les chaussettes orphelines, comme Camille, qui a décidé de le faire faire à son fils ;
- établir le programme de la fête de fin d'année, comme Mohamed, qui a passé cette année le flambeau à d'autres volontaires ;
- faire les cafés le matin pour tout le bureau, comme Adeline, qui désormais les fera préparer par son collègue ;
- déposer les enfants au sport, comme Fatou, qui en chargera dorénavant son mari ;
- gérer les relances clients, comme Sylvain, qui a annoncé en réunion qu'il passait son tour.

Alors réfléchissez à une chose, une seule !, que vous allez déléguer. Et ne la faites plus pendant 21 jours ! Pour cela, complétez cette phrase qui aura valeur d'engagement :

« À partir d'aujourd'hui et pendant les 21 jours à venir, je ne . . . .

. . . .

. . . . »

- Avez-vous réussi à déléguer une chose pendant 21 jours consécutifs ?

. . . .

- Quels bénéfices en avez-vous tirés ? . . . .

. . . .

. . . .

. . . .

. . . .

. . . .

. . . .

. . . .

Bilan Semaine 2

Ces deux dernières semaines, vous vous êtes concentré sur deux sujets difficiles à traiter : vous-même et votre environnement. Remettre en question son propre mode de fonctionnement, ses habitudes, ses actions... demande une énergie incroyable, ce qui peut sembler paradoxal lorsque l'on souhaite arrêter de s'épuiser ! Mais le retour sur investissement doit commencer à se faire sentir.

Faites le bilan de votre deuxième semaine en cochant les cases dans le tableau ci-dessous. Et n'oubliez pas le rituel de la batterie à la fin du livre pour évaluer votre niveau d'énergie.

Acquis	Oui	Non
J'ai cessé de jouer un rôle au travail et y suis davantage en phase avec ma vraie personnalité.		
J'ai revu mon rapport au travail et m'investis plus sainement au travail.		
J'ai mis en place des appuis solides dans mon entourage familial.		
Je me connecte à bon escient et me déconnecte de mon plein gré.		
Je ne dis plus oui tous azimuts et ne crains plus de refuser.		
J'arrive à méditer, tout du moins à respirer.		
J'adopte la « sérendipité attitude » et reconnais les signes positifs qui m'entourent.		
J'ai réussi à déléguer une chose pendant 21 jours consécutifs.		

Vous pourrez revenir à la Semaine 2 autant que nécessaire, et vous pouvez même marquer un temps de pause (de la durée de votre choix) pour prendre le temps de digérer les changements amorcés avant d'entamer la Semaine 3.

La Semaine 3 revêt un caractère différent, puisqu'il ne s'agit plus d'agir sur votre environnement, mais sur votre entourage.

Cette dernière semaine vous amènera peut-être à prendre des décisions difficiles ou à ouvrir les yeux sur des relations peu agréables. Vous n'êtes pas obligé de vous précipiter, vous pouvez choisir de consolider les acquis des deux premières semaines avant d'entamer la dernière... ou foncer ? À vous de décider.

SEMAINE 3

Je m'entoure des bonnes personnes et retrouve ma vitalité

JOUR 15

Je renonce à être parfait

« Renoncer à vouloir être parfait pour commencer à devenir soi-même. » Ce mantra fait fureur sur le Net, espace de liberté où, abrités derrière un écran et parfois un pseudonyme, les internautes peuvent enfin se laisser aller. Par définition, la perfection n'est ni humaine ni naturelle. Or, nous recevons tous les jours des injonctions (notamment *via* la publicité) nous ordonnant d'être un être humain idéal : il faut avoir un intérieur digne de passer dans « Question Maison » sur France 5, « manger-bouger » (avec 5 fruits et légumes par jour), élever ses enfants en étant très présent – mais mener une carrière époustouflante –, se dévouer aux autres au travers de différentes actions de bénévolat et de dons tout en gardant assez d'énergie pour être une vamp fatale le soir venu – ou un chaud lapin, pour vous Messieurs.

Ces messages constants sont épuisants puisqu'ils nous font intégrer que premièrement nous ne sommes pas parfaits, et deuxièmement nous pourrions le devenir, si nous nous en donnions la peine ! Lorsque l'on ne parvient pas à relativiser ces messages, on peut plonger dans une spirale épuisante : la quête de la perfection...

Une course à la perfection illusoire

Dans la blogosphère parentale, les sujets sur « l'imperfection » font rage : les supposées « mauvaises mères » ou « mères indignes », les parents qui galèrent dans leur emploi du temps et leur organisation... Bref tous y expriment leurs difficultés à tout gérer correctement, et nombreux sont ceux qui placent leurs failles sur le compte de leur propre incompétence.

Et pour cause : notre société exclut les gens jugés « non performants » : femmes enceintes, malades, handicapés, personnes âgées... Il suffit de voir comment on rejette du monde du travail les personnes jugées inefficaces ou inadaptées, voire pire, non performantes.

Pourtant, que l'on soit non performant relatif ou non performant définitif, chacun doit avoir son rôle à jouer dans une société, sans forcément courir après une surproductivité et une course à la performance absolue, pour « se tuer à gagner de l'argent pour acheter des choses dont on n'a pas besoin pour impressionner des gens que l'on n'aime pas », comme le dit l'adage !

Chercheuse et professeure à l'université de Houston (Texas), Brené Brown cartonne avec ses interventions lors des conférences TED[1]. Elle en a tiré un livre, best-seller d'après la liste du *New York Times*, et traduit en France sous le titre *La force de l'imperfection* (voir bibliographie p. 223). Dans ses conférences, elle donne sa définition du perfectionnisme : « Système de croyances autodestructeur et addictif qui alimente la pensée initiale : si mon apparence, ma vie, mes actions sont parfaites, je peux éviter les sentiments douloureux de honte, de jugements, de reproches. »

On le voit, et nous l'expliquions dans notre introduction, le développement personnel et le perfectionnisme ne sont pas compatibles ! Il est d'ailleurs étonnant de remarquer la quantité de personnes qui, en entretiens d'embauche, répondent à la question « Quel est votre plus gros défaut ? » (question qu'un bon recruteur ne devrait pas poser, mais c'est un autre sujet...), par la réponse : « J'ai un gros défaut, je suis perfectionniste », en pensant avoir dévoilé une qualité, un « faux défaut ». Or, le perfectionnisme est un véritable défaut qui, mal canalisé, peut d'ailleurs devenir pathologique et nuire à toute une équipe de travail.

Il nous est arrivé de rencontrer des personnes que la société juge « non performante ». Par exemple, nous nous souvenons d'un employé chargé de la mise en rayon d'une grande surface qui avait un handicap à un bras. Il était le plus rapide de son secteur ! Il avait simplement cherché une manière efficace de travailler différemment, à sa manière... Les personnes handicapées – comme les seniors ou les femmes enceintes – ne

---

1. Les conférences TED sont une série de conférences internationales organisées par une fondation à but non lucratif Sapling Foundation, créée pour diffuser des « idées qui valent la peine d'être diffusées » (*ideas worth spreading*).

sont donc pas à classer d'emblée dans la pile « non performants », bien au contraire !

L'association Creative Handicap[2] organise par exemple des ateliers « T Cap » dont la mission est de donner confiance en leurs capacités, en leurs aptitudes à des personnes atteintes de troubles du développement. Partant du principe, comme le disait Oscar Wilde, que : « Ce qu'on te reproche, cultive-le : c'est toi. » Alors plutôt que de s'épuiser à être parfait, mieux vaut s'appuyer sur ses compétences et savoir-faire.

Je m'appuie sur mes savoir-faire

Les notions de compétence, de talent, de performance, de valeur... se mélangent parfois. Cette confusion peut épuiser dès lors que l'on cherche à atteindre un but inaccessible ou inadéquat. Pour atteindre le bien-être, vous devez aligner vos compétences, votre talent et votre performance. Allons donc fouiller plus avant toutes ces notions qui concernent vos savoir-faire au sens large.

La compétence

La compétence est un ensemble de connaissances et de qualités professionnelles mises en œuvre pour résoudre une situation ou un problème donné, d'après le sociologue Jean-François Amadieu, spécialiste des relations sociales au travail. Elle s'exerce dans un domaine particulier. On peut être compétent dans un domaine (je m'occupe très bien des enfants, je négocie de beaux contrats...) et incompétent dans un autre (je ne sais pas cuisiner les gâteaux, mes prévisions comptables sont rarement justes...).

La gestion des compétences vise à mettre en adéquation le besoin de l'entreprise – ce que l'on attend d'un collaborateur à un poste donné – et les compétences de ce collaborateur. Cette compétence peut être innée ou s'acquérir (études, formation, expériences...). Quand vous travaillez, vous mettez vos compétences et vos qualifications à disposition d'un employeur ou d'un client qui les utilise. L'épuisement commence quand ses attentes sont démesurées par rapport à vos compétences ou que vos compétences sont utilisées à mauvais escient.

---

2. Pour en savoir plus : creativehandicap.org

JOUR 15

Je fais le point sur mes compétences

- Dans quel domaine suis-je compétent(e) ?
- Est-ce que j'utilise cette compétence au quotidien ?
- Comment pourrais-je mieux l'utiliser, plus l'utiliser ?
- Dans quel domaine suis-je incompétent(e) ?
- Est-ce grave ? Est-ce que ça me manque au quotidien ?
- Mes compétences me font-elles vivre ? Sont-elles en lien avec mon activité principale et rémunératrice ?

Un exemple pour vous éclairer : Clark Kent est compétent en journalisme. Il est incompétent pour séduire Loïs.

Le talent

Talentus, en latin, désigne une aptitude exceptionnelle, quasiment naturelle ou innée. On peut être talentueux sans être compétent. À la différence de la gestion des compétences, le management des talents ne se base pas sur le besoin de l'entreprise mais sur la capacité, l'aptitude du collaborateur. Le burn-out se nourrit de ce sentiment d'inadéquation, de « talent gâché ». Dans l'idéal, on conjugue gestion des compétences et management des talents pour mettre en adéquation les besoins de l'entreprise et les talents des collaborateurs. Par définition très subjectif, le talent ne se mesure pas. Cécile Dejoux le définit comme « une combinaison rare de compétences rares » dans son livre *Gestion des compétences et GPEC* (voir bibliographie p. 223). Est talentueux celui qui fait « mieux que les autres ».

Le talent dépasse la compétence, dans la mesure où il ne peut pas s'acquérir.

Je fais le point sur mes talents

- Ai-je un talent ? Lequel ?
- Est-il exploité ?
- Qu'est-ce que je fais pour développer mon talent ?
- Est-ce que je peux le transformer en compétence ?
- Mes compétences professionnelles sont-elles en lien avec mon talent ?
- Est-ce que je le souhaite ?

- Comment est-ce que je peux faire vivre mon talent ? Par exemple : j'ai un talent musical, je travaille dans les assurances. Je fais vivre mon talent en donnant des cours de piano, en réalisant des concerts, en jouant pour le plaisir chez moi...

Un exemple pour vous éclairer : vous faites du reporting toute la journée, mais votre talent est le relationnel. Votre talent social n'est pas exploité. Votre compétence l'est.

La performance

La performance désigne votre capacité à obtenir un résultat en vous servant de ce que vous possédez : talent, compétence, mais aussi contexte et appuis extérieurs. On peut avoir du talent ou des compétences sans être performant ; et on peut performer sans avoir le moindre talent grâce à une méthode ou à la conjoncture.

À noter que le potentiel est un talent ou une compétence en devenir.

Si vous réussissez à aligner votre compétence, votre talent et votre performance, alors vous êtes dans une spirale plutôt positive et non énergivore.

La productivité

Vous êtes productif si votre ratio temps passé/performance est élevé. La productivité est le maître mot de bien des systèmes de management, mais la recherche de productivité sans prise en compte et valorisation des talents, des compétences, des potentiels contribue aux spirales d'épuisement. La productivité ne peut pas être le seul objectif d'une unité de travail. Par exemple, dans le secteur médical, considérer uniquement la part de patients vue par le personnel soignant induit une vision « productiviste » de la médecine, au détriment du talent du soignant, mais aussi de la qualité des soins et de l'écoute reçus par le patient.

La valorisation

Vous êtes valorisé quand on reconnaît vos compétences, vos talents, votre performance et votre productivité. De façon générale, vous êtes valorisé quand votre travail ou vos actions sont reconnus et mis en avant. On peut s'épuiser par défaut de reconnaissance ou de valorisation (« Avec tout ce que je fais, je n'ai aucune reconnaissance ! »), mais aussi à cause de survalorisation : les attentes d'autrui sont trop élevées pour vous, vous ne pensez pas avoir « les épaules » pour porter leurs demandes.

Écrivez vos réponses aux questions, puis demandez à votre entourage (famille, collègues...) de répondre à ces mêmes questions (sans leur donner vos réponses) :

- Quel est mon talent principal ?

  Ma réponse : . . . .

  La réponse de mon entourage : . . . .

- Quelle est ma compétence principale ?

  Ma réponse : . . . .

  La réponse de mon entourage : . . . .

- Quelles sont mes trois qualités professionnelles ?

  Ma réponse : . . . .

  La réponse de mon entourage : . . . .

- Quelles sont mes trois qualités personnelles ?

  Ma réponse : . . . .

  La réponse de mon entourage : . . . .

- Quelle est ma réalisation, mon fait marquant des dernières années (diplôme, promotion, dossier mené à bien...) ?

  Ma réponse : . . . .

  La réponse de mon entourage : . . . .

Si vos réponses sont concordantes, vous êtes valorisé à votre juste niveau.

Si elles ne le sont pas, interrogez-vous sur votre mode de valorisation : communiquez-vous positivement sur vos actions, sur vos résultats ? Auprès de qui ? Comment pourriez-vous davantage impliquer les autres dans la mesure de vos actions ?

On réalise qu'il est important de faire le point sur ses compétences et ses talents qui, mal exploités, peuvent être à la source de notre état d'épuisement.

Mais au-delà des savoir-faire essentiels, les « savoir être » – votre personnalité – occupent une place importante dans la vie professionnelle. À compétence égale, une personne agréable avec ses collègues, capable de diplomatie, sera préférée à « un emmerdeur ». Mais le savoir être ne se limite pas à une simple facilité à vivre... Il requiert des qualités bien spécifiques.

J'évalue mes « savoir être »

Pour évaluer vos « savoir être », il est nécessaire d'identifier d'abord vos qualités. Pour cela, placez le curseur au bon endroit selon vous, entre les qualités qui vous sont proposées ci-dessous.

Écoute └──┴──┴──┴──┴──┘   Distance └──┴──┴──┴──┴──┘

Leadership └──┴──┴──┴──┴──┘   Obéissance └──┴──┴──┴──┴──┘

Idéalisme └──┴──┴──┴──┴──┘   Pragmatisme └──┴──┴──┴──┴──┘

Prudence └──┴──┴──┴──┴──┘   Témérité └──┴──┴──┴──┴──┘

Autonomie └──┴──┴──┴──┴──┘   Loyauté └──┴──┴──┴──┴──┘

Rigueur └──┴──┴──┴──┴──┘   Originalité └──┴──┴──┴──┴──┘

J'organise mon « incompétence »

Lors de la dernière conférence « Maman travaille », Brigitte Grésy, inspectrice générale des affaires sociales, a évoqué le concept « d'organiser son incompétence ménagère » pour arrêter de s'épuiser et pour pousser son compagnon (ou sa compagne) à prendre sa part des tâches ménagères.

1
2
3
4
5
6
7
8
9
10
11
12
13
14
JOUR 15
16
17
18
19
20
21

Témoignage de Mimie Jones, piètre femme d'intérieur

« Je cuisine mal, toujours la même chose, en général des plats que mon mari n'aime pas. Et j'ai une capacité incroyable à laisser brûler les casseroles en les oubliant sur le feu (surtout depuis que je fais des compotes pour mon fils de 20 mois).

Je lance des lessives… mais j'oublie de les étendre. Au bout de deux jours dans la machine, ça sent bon dans la maison…

J'ai un niveau de résistance à la saleté et au désordre bien supérieur à celui de mon mari (ça, c'est mon secret de la réussite).

Pendant mon congé maternité, j'ai sombré dans une terrible apathie qui, lorsque j'ai ensuite repris le travail, a motivé mon mari à me dire : "Plus jamais tu n'envisages d'arrêter de travailler !"

J'en oublie sûrement, mais pour résumer, je suis une femme d'intérieur pitoyable, et je l'assume sans complexes.

Mais surtout j'ai trouvé (choisi ? eu la chance de tomber sur ?) un mari qui ne me considère pas comme responsable de la tenue de la maison. Il ne fait pas seulement que « m'aider ». Avec lui, l'expression « partage des tâches » prend réellement tout son sens ! »

Mais organiser son incompétence au travail, c'est aussi accepter tout simplement de faire avec ce que l'on est, c'est-à-dire imparfait mais riche de ses compétences et de ses talents.

Je ne suis pas parfait(e)... et alors ?

Répondez sans détours à ces questions, et dites-vous bien qu'elles concernent tout le monde.

- Quand, pour la dernière fois, avez-vous pensé que vous n'étiez « pas assez parfait(e) » ?
- Qu'aviez-vous fait, ou pas fait ?
- Aviez-vous la possibilité réelle de faire autrement ?
- En aviez-vous les capacités, à ce moment précis et en l'état de vos connaissances ?
- Quelles sont les conséquences irrémédiables de cette imperfection ?
- Qui attend réellement que vous soyez « parfait(e) », et pourquoi ?
- Avez-vous peur de décevoir, et pourquoi ?
- En toute lucidité, comment « normaliser » vos relations pour minimiser les attentes de perfection des autres à votre égard ?
- Quelles conséquences cela a-t-il si les autres réalisent que vous n'êtes pas parfait(e) ?

À l'aune de ces réflexions :

- Je me pardonne mon imperfection en estimant que j'ai fait de mon mieux, au regard du contexte et des moyens mis à ma disposition.
- Je reconnais mes zones d'imperfection – et les relativise en valorisant mes talents, mes compétences, mes performances...
- J'arrête de m'épuiser en courant après un modèle de perfection inaccessible et je (re)commence à me construire autour de mes capacités et talents avérés.

Pour m'aimer comme je suis (et pas comme je voudrais être) !

Retrouver une estime de soi fondée sur des réalités concrètes, aide à sortir de la spirale de l'épuisement qui se caractérise aussi par « l'effondrement de la psyché », l'hyperémotivité et le détachement des autres.

Munissez-vous d'un stylo et faites une liste aussi honnête que possible en indiquant ce que vous considérez comme vos points faibles, là où vous êtes « défaillant(e) » par rapport à l'idéal que vous voudriez atteindre. Puis contrebalancez avec un point positif dans le même registre !

Chaque personne peut faire sa propre liste qui dresse sa personnalité : ni mieux ni moins bien que celle du voisin, tout simplement la vôtre, celle que vous devez apprendre à connaître et à exploiter pour ne plus vous épuiser.

> « *Le mieux est l'ennemi du bien.* »

Par exemple :

- Je ne réponds pas toujours aux mails dans la journée mais je donne volontiers des idées ou des contacts.
- Je n'ai pas envoyé mes feuilles de soin à la Sécu mais j'ai déclaré la perte de ma carte Vitale.
- J'ai des kilos en trop mais j'ai un beau sourire.
- J'oublie toujours les anniversaires de mes copines mais je leur offre des cadeaux rigolos juste après.
- J'oublie souvent de faire développer les photos mais j'envoie souvent des cartes postales.
- Je ne suis pas allé(e) voir ma grand-mère à l'hôpital mais je l'ai accueillie à son retour.
- Je ne garde pas les chats des voisins mais je les aide toujours à les chercher de nuit, quand ils les perdent.
- Je suis bordélique mais je cuisine très bien.
- J'arrive souvent en retard à l'école le matin mais j'accompagne les sorties scolaires.
- Je ne peux pas citer le dernier titre de Modiano mais j'ai lu tout Schopenhauer.

À vous !

- Je . . . .
  mais . . . .

- Je . . . .
  mais . . . .

- Je . . . .
  mais . . . .

- Je . . . .
  mais . . . .

Laisser venir ses cycles de non-performance.

Au même titre que les sportifs et les athlètes, nous avons des cycles de performance et des cycles de non-performance. Pour accueillir et accepter les cycles de non-performance, on peut se consacrer à des tâches de régulation ou d'entraînement : remettre à plat son planning, trier ses papiers... Le cerveau mouline donc sur autre chose, se repose, et se met en condition de créer bientôt un nouveau cycle de performance. Aucun sportif ne bat ses propres records à chaque entraînement ! L'échauffement, le repos, la récupération, l'entraînement, la mise en condition... précèdent la performance et l'accompagnent. Savoir être moins performant à un moment donné, c'est préserver sa performance pour les instants clés.

La durée de ce cycle dépend de chacun, de son niveau de fatigue, et des objectifs de performance : fixez-vous vos objectifs et des « paliers » à atteindre (voir Jour 1, p. 21).

Le conseil de Marlène

Dans la série musicale *Glee*, l'héroïne, Rachel, quitte sa petite ville pour prendre des cours d'arts de la scène à New York. Sa professeur la défie sur « Chicago » : elles doivent chanter et danser en même temps une chorégraphie. À la fin, Rachel doit se rendre à l'évidence : elle n'est pas une aussi bonne danseuse que sa prof... La scène pourrait s'arrêter là, mais Rachel rétorque : « Merci de m'avoir donné cette leçon. Je ne serai jamais une aussi bonne danseuse que vous. Mais je suis une aussi bonne chanteuse... Peut-être même meilleure ! » Dans la suite de la série, Rachel s'applique à travailler ce point fort, ce qui la rend « exceptionnelle ».

Vous êtes mauvais dans un domaine ? D'accord, mais il y a forcément un domaine où vous excellez, où vous vous sentez à l'aise ! C'est sur lui que vous devez miser.

Je recharge ma batterie

✔ Je fais le point sur mes compétences et mes talents.

✔ Je me demande si je suis suffisamment valorisé.

✔ J'évalue mes « savoir être » en pointant mes qualités.

✔ Je me pardonne mon imperfection et je m'aime comme je suis.

J'évite les personnes toxiques (et je deviens une personne ressource)

L'épuisement, le burn-out est lié non seulement à soi, à son corps, à sa psyché, à son environnement, mais aussi à son entourage. Un des premiers symptômes du burn-out : le détachement dans les relations sociales, le cynisme, l'incapacité à l'empathie. Comme si « brûlé de l'intérieur », vidé pour soi-même, l'on n'avait plus les ressources pour nous connecter aux autres... Et c'est parfois l'entourage qui pousse à l'épuisement, de manière sournoise.

En parcourant ces pages, vous aurez forcément un ou des visages qui vont vous venir à l'esprit...

Précisons que nous parlons de « personnes toxiques » ici par abus de langage, car ce que vous allez découvrir maintenant concerne de façon plus globale les « comportements toxiques » (car on peut être toxique un jour avec quelqu'un, et changer un autre jour avec une autre personne !).

Alors comment repérer ces gens toxiques qui vous épuisent et « mangent » votre énergie, et inversement ces personnes qui vous « reboostent » ?

Un travail de repérage d'abord

Le pervers manipulateur (ou PM) peut sévir partout en fait (en famille, au boulot, entre amis...), car là où il y a relation, il peut y avoir relation toxique.

Isabelle Nazare-Aga propose dans son ouvrage, *Les manipulateurs sont parmi nous* (voir bibliographie p. 223), une liste de trente signes reconnus par les spécialistes du harcèlement (dont Marie-France Hirigoyen) comme étant spécifiques du pervers manipulateur :

1. Il culpabilise les autres, au nom du lien familial, de l'amitié, de l'amour, de la conscience professionnelle, etc.
2. Il reporte sa responsabilité sur les autres ou se démet de ses propres responsabilités.
3. Il ne communique pas clairement ses demandes, ses besoins, ses sentiments et ses opinions.
4. Il répond très souvent de façon floue.
5. Il change ses opinions, ses comportements, ses sentiments, selon les personnes ou les situations.
6. Il invoque des raisons logiques pour déguiser ses demandes.
7. Il fait croire aux autres qu'ils doivent être parfaits, qu'ils ne doivent jamais changer d'avis, qu'ils doivent tout savoir et répondre immédiatement aux demandes et aux questions.
8. Il met en doute les qualités, la compétence, la personnalité des autres : il critique sans en avoir l'air, dévalorise et juge.
9. Il fait faire ses messages par autrui ou par des intermédiaires.
10. Il sème la zizanie et crée la suspicion, divise pour mieux régner et peut provoquer la rupture d'un couple.
11. Il sait se placer en victime pour qu'on le plaigne (maladie exagérée, entourage « difficile », surcharge de travail, etc.).
12. Il ignore les demandes (même s'il dit s'en occuper).
13. Il utilise les principes moraux des autres pour assouvir ses besoins (notions d'humanité, de charité...).
14. Il menace de façon déguisée ou fait un chantage ouvert.
15. Il change carrément de sujet au cours d'une conversation.
16. Il évite ou s'échappe de l'entretien, de la réunion.
17. Il mise sur l'ignorance des autres et fait croire à sa supériorité.
18. Il ment.
19. Il prêche le faux pour savoir le vrai, déforme et interprète.
20. Il est égocentrique.

21. Il peut être jaloux même s'il est un parent ou un conjoint.
22. Il ne supporte pas la critique et nie les évidences.
23. Il ne tient pas compte des droits, des besoins et des désirs des autres.
24. Il utilise souvent le dernier moment pour demander, ordonner, ou faire agir autrui.
25. Son discours paraît logique ou cohérent alors que ses attitudes, ses actes ou son mode de vie répondent au schéma opposé.
26. Il utilise les flatteries pour nous plaire, fait des cadeaux ou se met soudain aux petits soins pour nous.
27. Il produit un état de malaise ou un sentiment de non-liberté (piège).
28. Il est efficace pour atteindre ses propres buts mais aux dépens d'autrui.
29. Il nous fait faire des choses que nous n'aurions probablement pas faites de notre propre gré.
30. Il est constamment l'objet de discussions entre gens qui le connaissent, même s'il n'est pas là.

Au-delà de quatorze points reconnus parmi cette liste, on peut parler de manipulateur pervers, c'est-à-dire d'une personne qu'il faut extraire de sa vie sous peine d'être épuisé à son contact.

Attention : si chacun sait reconnaître dans son entourage un ou une PM, peu de gens s'y reconnaissent ! Et pourtant, statistiquement… il faut bien que certains s'y trouvent. C'est pourquoi il est plus exact de parler de « comportements toxiques » ou de « relations toxiques » et pas seulement de « personnalités toxiques ».

On voit bien qu'il est primordial en phase d'épuisement de s'interroger sur la qualité de ses relations pour pouvoir repérer d'éventuels dysfonctionnements.

Certaines personnes attirent, il est vrai, les manipulateurs et les manipulatrices comme des aimants. Et comme tout ce qui touche à la victimologie, puisqu'il induit une responsabilité de la victime, c'est souvent un sujet tabou…

JOUR 16

Témoignage de Françoise, 51 ans, gérante de société

« J'ai commencé il y a quelques années à travailler avec un garçon que je trouvais formidable, d'une grande disponibilité (voire parfois trop même), mais un peu fragile. Je l'avais embauché comme assistant personnel. Il m'émouvait parce qu'il me racontait comment il avait, plus jeune, été manipulé par sa conjointe... Puis il m'a aussi raconté comment sa précédente employeure était une dangereuse manipulatrice. Puis, il me disait qu'il s'en voulait d'avoir été manipulé par l'association dans laquelle il était engagé. Bref, au final, il semblait n'être entouré que de manipulateurs et manipulatrices, avec lesquels il était obligé de couper les ponts pour sa survie mentale, car ils ne lui donnaient jamais ce qu'il attendait en échange de son dévouement.

Bien sûr, dix-huit mois après son embauche, il a également coupé les ponts avec moi, avec pertes et fracas, suite à un réaménagement de son poste. J'ai appris très vite qu'il se plaignait partout d'avoir été... manipulé.

J'ai mis deux ans à faire mon autocritique et à finalement comprendre qu'il avait un souci évident avec le concept de manipulation et qu'il cherchait des profils avec qui revivre sans cesse cette histoire de manipulation.

Mais ça a tout de même été un choc émotionnel assez épuisant de me voir "plaquée" de la sorte, puis accusée. »

Dans le témoignage de Françoise, on voit bien que la personne a une étonnante tendance à se positionner systématiquement en victime, en instaurant de fait une relation toxique. Se placer sciemment dans une situation dévalorisante pour pouvoir dire que l'on est maltraité est un classique de la situation dominant/dominé poussée à son extrême... Une même personne peut entretenir des relations saines avec l'une et toxiques avec l'autre : comme en amour, l'alchimie se fait bien, ou dévie vers une voie néfaste.

© Groupe Eyrolles

Et vous, subissez-vous sans le savoir dans votre entourage des relations toxiques ?

Suis-je victime d'une relation toxique ?

Pensez à une personne de votre entourage proche et posez-vous les questions suivantes :

• Je me sens mal quand je dois la voir.	☐ Oui ☐ Non
• J'ai mal au ventre en arrivant, je suis soulagé(e) quand elle s'en va.	☐ Oui ☐ Non
• J'ai une piètre estime de moi quand elle me parle.	☐ Oui ☐ Non
• Je ne souris pas quand je suis avec elle.	☐ Oui ☐ Non
• Je n'ose pas lui donner mon avis quand il diffère du sien.	☐ Oui ☐ Non
• Je n'aime pas quand elle a un avis différent du mien.	☐ Oui ☐ Non
• Je me sens utilisé(e) par elle.	☐ Oui ☐ Non
• J'ai l'impression de l'utiliser.	☐ Oui ☐ Non

Si vous avez répondu oui à une majorité de ces questions, il semble que la relation que vous entretenez avec cette personne ne soit pas très sereine. Peut-être est-il temps pour vous de recourir à un professionnel compétent (voir p. 180) si vous vous sentez pris au piège (sans attendre que la situation ne se dégrade pour comprendre ce qui se joue).

En finir avec la maltraitance

Le schéma des relations toxiques ou maltraitantes est défini par un « triangle dramatique » : persécuteur, sauveur, victime. Marie Haddou, psychologue clinicienne, explique dans son livre *Avoir confiance en soi* (voir bibliographie p. 223) : « Le persécuteur est le parent autoritaire, le sauveur est le parent nourricier, la victime est l'enfant soumis. »

« Chaque protagoniste peut se retrouver, à son tour, dans l'une de ces trois positions », explique Barbara Nativel, qui anime des séances de constellations familiales (voir p. 186), basées notamment sur l'analyse transactionnelle. Lors de ses séances de constellations familiales, Barbara Nativel invite le patient à se positionner dans l'espace d'une pièce, debout, sur le schéma de ce triangle dramatique. Se positionner ainsi permet de comprendre ce qui nous fait souffrir dans une relation toxique, et ce que l'on reproduit, ce qui s'y rejoue.

Après avoir rompu tout lien avec la personne que l'on estime manipulatrice ou perverse narcissique, un travail plus difficile vous attend : en finir avec la maltraitance, car trop souvent, les victimes de pervers ou de manipulateurs reproduisent des schémas *ad vitam aeternam*.

La psychanalyste Dominique-France Tayebaly, membre du Centre d'études et de recherches en psychanalyse, parle dans *Pour en finir avec les pervers narcissiques* (voir bibliographie p. 223) de « stratégies de déshumanisation » et de relations « déshumanisées », ce qui est aussi l'une des caractéristiques du burn-out.

Dans le monde du travail, un bon manager repère les mécanismes de perversion et y met fin, en intervenant et en séparant les relations toxiques. S'il ne le fait pas, il importe de se « réhumaniser » en coupant la relation toxique, en sortant de l'emprise de la personne qui vous a mis sous cloche. Dans ce cas, être accompagné par un praticien aide. L'affirmation de soi dans le respect de l'autre (ce que l'on appelle « l'assertivité ») est un chemin délicat : on peut y trouver des embûches jusqu'au but ultime, à savoir nourrir des relations saines et équilibrées.

Pour en finir avec la maltraitance

- Quelle est la relation qui vous incommode actuellement ?
- Pourquoi ?
- Comment cette relation s'est-elle mise en place ?
- Quel a été votre rôle dans l'installation de cette relation ?
- Cette relation vous rappelle-t-elle une autre relation (dans votre famille, au bureau, entre amis...) ?

Il est nécessaire parfois de mettre certaines situations en perspective pour voir si l'on n'est pas en train de répéter un schéma qui nous a été imposé un jour. Encore une fois, répondre à ces questions va vous permettre de poser des mots sur des ressentis qui sont peut-être en rapport avec votre état d'épuisement.

Inversement, vous avez dans votre entourage des personnes ressources, des « fées », des personnes qui vous apaisent, vous appuient, vous conseillent, vous aident, et ne vous jugent pas... Ces personnes vous les reconnaîtrez aisément car ce sont elles qui :

- Ne jugent jamais une personne ou une situation.
- Débattent sur les idées, par sur les gens.
- Ne font pas de chantage affectif.
- Ne rendent pas les autres responsables de leurs propres erreurs ou oublis.
- Se remettent en question.
- Écoutent les reproches qui leur sont faits.
- Ne cherchent pas forcément à écraser les autres.
- Ne disent rien sur les autres dans leur dos, qu'elles ne leur diraient pas en face.
- Se mettent à la place des autres.
- Ne cherchent pas à manipuler.
- Ne montent pas les gens les uns contre les autres.
- Agissent de manière désintéressée.
- Donnent sans attendre quelque chose en retour.
- Pardonnent, passent l'éponge, passent à autre chose.

> *« Il faut être deux pour nourrir une relation. À vous de choisir la nourriture que vous donnez à votre relation. »*
>
> **Julien Chesneau, professeur de chant et coach vocal**

Comment ne pas être un PN au travail

→ Je parle de la même manière à mes supérieurs hiérarchiques et aux autres.
→ Je ne blâme pas ma secrétaire pour une erreur que j'ai faite.
→ J'arrive à l'heure quand je donne un rendez-vous.
→ Je ne décale pas trois fois les réunions collectives.
→ Je ne me sers pas de l'argument d'autorité.
→ Je ne me dis pas : « Tant pis, il (elle) le fera à ma place ».
→ Je dis ce que je fais, je fais ce que je dis.

À bien y réfléchir, vous allez vous rendre compte que vous recherchez en fait assez naturellement la compagnie de ces personnes-là. C'est avec elles que vous êtes le plus détendu, que vous échangez le plus, que vous avez le plus à partager, que vous vous amusez, que vous vous changez les idées… Bref ce sont ces personnes-là qui vous rendent plus léger et moins épuisé.

On l'a vu, supporter un individu toxique épuise, mais en être un épuise tout autant. Alors pour ne pas céder à la facilité de devenir ce que l'on appelait autrefois un « emmerdeur professionnel », essayez donc les accords toltèques.

Bien connus des coachs en développement personnels, les « accords toltèques[1] » peuvent être une bonne base de principe relationnel entre les gens. Ils s'affichent de plus en plus dans les entreprises, et c'est tant mieux !

Eleanor Roosevelt disait : « Les grands esprits parlent des idées, les esprits moyens parlent des événements, les petits esprits parlent des gens. » S'assurer, avant de communiquer avec quelqu'un, que notre prise de parole est impeccable fait partie des « accords toltèques ».

Voici ce que préconisent en substance les quatre accords toltèques :

1. Que votre parole soit impeccable : ne faites pas de reproches, ne dites pas : « Tu devrais… » ou « Tu n'as pas fait… », ne faites pas de critique négative ou non constructive.

2. N'en faites jamais une affaire personnelle : partez du principe qu'il s'agit de problèmes de principes, et non pas de personnes ; ne vous dites pas : « Il m'en veut ! »

3. Ne faites aucune supposition (celui-ci est primordial) : en supposant, vous fondez vos raisonnements sur des informations non vérifiées. Ne supposez rien. Jamais. Partez du principe que vous ne savez pas et donc que vous ne vous prononcez pas ! Ne vous épuisez pas en ressassant.

---

1. *Les quatre accords toltèques* est un ouvrage de Miguel Angel Ruiz, auteur mexicain, chamane et enseignant (voir bibliographie p. 223). Traduit en français en 1999, il a été vendu à plus de 4 millions d'exemplaires dans le monde.

4. Faites toujours de votre mieux : c'est une manière d'être irréprochable… dans la mesure de vos moyens. Vous noterez la nuance entre « faire le mieux » et « faire de votre mieux », c'est-à-dire sans vous épuiser !

Ainsi avant de prendre la parole, je m'assure que :
- ce que je dis est fondé, vérifié (ce n'est pas une rumeur ou une supposition) ;
- ce que je dis élève la conversation ;
- ce que je dis ne nuit pas injustement à quelqu'un ;
- ce que je dis apporte quelque chose de plus que ma précédente prise de parole (je ne me contente pas de répéter ou de ressasser)[2].

Tenter d'appliquer ces quatre règles de vie au quotidien vous aidera à être vous-même une personne ressource, au même titre que ces personnes qui vous boostent et dont vous appréciez tant la compagnie.

Au fait, avez-vous déjà songé à remercier ces personnes ressources pour leur influence positive dans votre vie ?

On passe un temps fou à essayer de persuader les gens qui ne nous aime pas de nous aimer. Or, c'est un temps perdu pour toujours ! Se justifier auprès de quelqu'un qui ne vous aime pas, par principe, ne le fera pas changer d'avis, ça ne fera que lui donner des arguments pour nourrir son absence d'amour.

> « Un ami, c'est quelqu'un qui vous connaît et qui vous aime quand même ! »

Inversement, on ne consacre pas assez de temps aux personnes que l'on aime, qui nous aident, qui apportent du positif dans nos vies ! Il est temps de la leur dire, et de nourrir ces relations positives. Souvenez-vous-en : le temps passé à vous épuiser à essayer de plaire à quelqu'un qui ne vous aime pas pourrait l'être avec quelqu'un qui vous aime et qui vous ressource !

---

2. Merci à Agnès Besnard, psychologue et formatrice en développement personnel et adjointe au maire du Mans, déléguée à la Culture.

Je signifie à trois personnes que leur comportement est énergétique pour moi !

J'identifie une personne qui me fait rire, me rend les choses agréables, m'allège, me fait l'effet de petites bulles de savon dans un bain parfumé… (un ami proche, un ami Facebook…), et je le lui dis.

J'identifie une personne qui m'aide à avancer dans mes réflexions, dans mon travail, qui est constructive et qui me fait progresser, qui m'inspire (un mentor, un maître de stage, un supérieur…), et je le lui dis.

J'identifie une personne qui a été aidante avec moi pendant un moment difficile (un parent, un ami, un collègue…), et je le lui dis.

Prendre le temps d'identifier au moins trois personnes et leur annoncer comme un cadeau le bien réel qu'elles vous procurent (ou vous ont procuré) aidera à nourrir ces relations positives et les rendra plus pérennes. Cela vous aidera également à vous sentir entouré(e), soutenu(e), plus léger(ère)… moins épuisé(e).

Le conseil de Cédric

Comment supporter ses collègues épuisants ?

✓ Si vous avez le sentiment de vous faire dénigrer depuis des mois par quelqu'un de toxique au bureau qui discrédite sans cesse votre travail, vos projets, et même votre physique, et qu'il essaye même de vous refuser l'accès à certaines réunions, partez du principe que c'est sa manière de s'exprimer, que vous ne la changerez pas. Préservez-vous et composez avec. Si vous êtes obligé de croiser l'individu toxique, entourez-vous de collègues positifs : cela dilue l'effet négatif, avec un phénomène d'entraînement. Mais si cette dilution ne fonctionne pas, faites appel à un médiateur ou à votre hiérarchie. Une mise au point s'avère nécessaire dès lors que le comportement de ce collègue empiète sur votre travail ou votre bien-être.

✓ Mais faut-il supporter ses collègues épuisants ? Nous avons tous dans notre entourage professionnel quelqu'un qui se plaint sans cesse, qui véhicule des ondes négatives en refusant toute nouveauté, par exemple, voire en essayant de vous faire faire son travail ou de s'approprier le vôtre. Si vous êtes dans ce cas, sortez au plus vite de la relation en face à face en intégrant un tiers neutre.

Le conseil de Marlène

- ✓ Jules Claretie a dit : « Tout homme qui dirige, qui fait quelque chose, a contre lui ceux qui voudraient faire la même chose, ceux qui font précisément le contraire, et surtout la grande armée des gens d'autant plus sévères qu'ils ne font rien du tout. »

- ✓ Quand on reçoit une remarque négative, il me semble important de se demander d'où vient cette critique, qui l'émet et dans quel but. Cette personne a-t-elle un intérêt à démolir ce que je fais ? Est-elle compétente pour émettre cette critique ? À partir des réponses obtenues, on peut intégrer la critique et se remettre en question, pour en faire un élément constructif, qui nous fait avancer : c'est vrai que ce projet aurait pu être mieux géré, par exemple... Les critiques constructives nous permettent de dégager rapidement des points d'amélioration, et elles viennent de personnes ressources qui nous aident à avancer !

- ✓ À l'inverse, il est facile de reconnaître des critiques gratuites ou manipulatrices Elles comportent souvent des termes définitifs : « Vous ratez toujours vos dossiers ! », « Vous n'écoutez jamais ! », « Personne n'aime ce projet ! », etc.

- ✓ Une critique constructive remet en cause le projet ou l'idée, pas la personne qui le porte. Si vous êtes confronté à une critique méchante, agressive ou gratuite, utilisez cette bonne vieille formule d'Internet : « *Don't feed the troll !* » (Ne nourrissez pas le troll !, l'esprit malfaisant de la forêt).

- ✓ Quand vous êtes tenté de critiquer à votre tour, pensez à l'adage de Ségolène, cité dans *Les 200 astuces de Maman travaille* (voir bibliographie p. 223) : CQFAR (celui qui fait a raison). Ou comme on le dit au Sénégal : « Celui qui n'a jamais traversé le fleuve ne doit pas se moquer du crocodile. »

 Je recharge ma batterie

JOUR 16

- ✔ Je m'interroge sur la qualité de mes relations et je me demande avec quoi je veux nourrir ma relation aux autres.
- ✔ Je sais reconnaître une relation toxique et j'ose la remettre en question.
- ✔ Je m'initie aux accords toltèques.
- ✔ Je remercie les personnes ressources qui m'entourent.

JOUR 17

Je me fais accompagner par un professionnel

Tant que vous n'êtes pas encore en situation d'épuisement complet, vous pouvez vous faire accompagner (et pas « vous faire aider », ce terme apporte une connotation victimisante). Une fois l'épuisement installé, plus questions de tergiverser : c'est un suivi médical et urgent qu'il faut mettre en place afin de prévenir des éventuelles conséquences irrémédiables. Il ne s'agit donc pas d'attendre le gros craquage qui vous fera faire une crise d'épilepsie, claquer votre démission pour partir vivre au Pérou, ou vous faire renvoyer pour agir efficacement.

En revanche pour arrêter de s'épuiser, il importe d'être accompagné. Repérons maintenant dans votre entourage qui peut vous accompagner pour récupérer un mode de vie normal, qui n'assèche pas vos ressources.

Des professionnels compétents

Vous tenez entre vos mains un livre, un programme pour arrêter de vous épuiser. Il formalise un premier pas dans la reconnaissance de votre état d'épuisement et dans la prise en charge de celui-ci. Mais il reste primordial de ne pas rester seul avec votre risque de burn-out et de s'adresser à un spécialiste qui saura traiter cet état d'épuisement.

Passons donc en revue les professionnels qui pourront vous accompagner et faisons un point sur leurs différentes compétences.

- **Le formateur :** les formations dédiées à la prévention de l'épuisement existent mais sont rarement dispensées dans les entreprises elles-mêmes, qui n'osent pas toujours investir sur ce sujet délicat. Nous en dispensons (voir sitographie p. 225), mais nous ne sommes pas les seuls à le faire : tournez-vous vers le catalogue de formations de votre entreprise si vous souhaitez les connaître. Les classiques Demos et Cegos en proposent, comme d'autres ! Certaines de ces formations sont prises en charge par le DIF, renseignez-vous auprès de votre entreprise.

- **Le coach :** les coachs fleurissent à chaque coin de rue. « Passé 40 ans, mes amies deviennent soit coach soit gérante d'une chambre d'hôte », notait avec humour la directrice d'un réseau professionnel. Ce n'est pas faux. Néanmoins, nous n'avons encore jamais rencontré de ces fameux « coachs improvisés » mais au contraire que des pros passionnés par leur métier et, donc, par les gens ! Pour valider le sérieux de votre coach, vérifiez sa certification et n'hésitez pas à lui demander la formation qu'il a suivie. Les coachs spécialisés peuvent vous aider en quelques séances à identifier les sources de votre épuisement et à lever des blocages !
- **Le psychothérapeute :** non diplômés, les psychothérapeutes exercent parfois *via* des spécialités artistiques ou musicales comme l'art-thérapie, par exemple. Les psychothérapeutes sont souvent des personnes passionnées par l'accompagnement de l'autre. N'hésitez pas à vous renseigner là aussi sur leurs formations (études de psychologie n'ayant pas abouti, association avec un médecin...), leurs domaines de spécialités, leurs méthodes...
- **Le psychologue, le psychiatre :** diplômé en psychologie ou en psychiatrie (médecin), il peut également être spécialiste de telle ou telle pratique, exercer en hôpitaux ou en cliniques. N'hésitez pas à lui demander quelle est sa spécialité. Le psychologue travaille généralement sur la résolution d'une problématique en particulier et considère le « traitement » terminé quand une solution a été apportée au problème.
- **Le psychanalyste :** l'analyse est un long travail sur soi-même, engagé avec l'accompagnement d'un professionnel en la matière. Contrairement au psychiatre ou au psychologue, l'analyste travaille au long cours, remonte dans le passé, et permet au patient de comprendre les origines de ses souffrances actuelles. Il n'est pas nécessaire d'avoir identifié un problème en particulier pour suivre une analyse.
- **Le médecin :** si vous vous sentez épuisé, la première personne à qui vous adresser reste votre médecin traitant. Généraliste ou non, il a votre dossier médical en main et saura étudier vos antécédents, évoquer avec vous ce qui vous épuise. Le médecin pourra d'ailleurs vous

JOUR 17

1 2 3 4 5 6 7 8 9 10 11 12 13 14 15 16 18 19 20 21

orienter vers des spécialistes, psys ou non, et aussi vous prescrire des arrêts de travail en cas de besoin impératif.

- **Le médecin chinois :** la médecine dite chinoise, encore non reconnue en Europe, s'applique à comprendre le sens des maladies, les « mal a dit ». On y apprend qu'un torticolis peut traduire la volonté de ne pas se retourner vers le passé, qu'une otite chronique révèle la volonté de ne pas entendre quelque chose, que les maladies des reins évoquent des questions de territoires... En complément d'un suivi médical plus classique, la médecine chinoise écoute l'âme et travaille sur l'équilibre du « yin » et du « yang » dans le corps (force et douceur, chaud et froid...)

- **Le médecin du travail :** le médecin du travail est tout indiqué si votre épuisement prend ses sources sur votre lieu d'exercice professionnel. Il connaît votre lieu de travail, votre secteur d'activité, que vous n'avez pas à lui dépeindre *a priori*. Le docteur Gunder, médecin du travail spécialiste du stress professionnel à Paris, nous explique : « Le médecin du travail voit en consultations l'ensemble des personnes d'une entreprise. Certes la fréquence de ces visites (avant annuelles, maintenant tous les deux ans au mieux) diminue, ce qui rend le suivi des personnes plus aléatoire d'autant plus que les salariés n'hésitent plus à changer de travail ou sont visés par des plans de licenciement plus fréquents avec la crise. Cependant, le médecin ayant vu de nombreux salariés d'une même entreprise pourra se rendre compte d'un malaise collectif ou individuel. Il peut être alerté également par un ou plusieurs membres de l'entreprise, qu'ils soient élus du personnel, membres du CHSCT ou non. À tout moment le salarié conscient de sa situation de détresse pourra également demander à être reçu par le médecin du travail. Enfin, la hiérarchie peut également souhaiter cette visite devant le changement manifeste de comportement d'un salarié. Une communication peut aussi s'établir entre médecins traitants et médecins du travail pour accompagner un salarié en difficulté. »

- **Le naturopathe :** médecine non conventionnelle, la naturopathie a émergé dès le XIXᵉ siècle. Elle prend en compte les liens entre les maladies et la nature et soigne ou apporte du confort, notamment avec des exercices et des plantes. Le naturopathe va vous aider à réguler votre hygiène de vie et va avoir une vision holistique de votre rythme de vie.

- **Le DRH, le supérieur hiérarchique :** selon vos relations habituelles, vous pouvez contacter votre supérieur pour solliciter son aide dans la prévention de votre épuisement, en tirant la sonnette d'alarme.

Attention : par définition, il privilégiera l'intérêt de l'entreprise ou de l'employeur avant le vôtre. Il se peut qu'il soit un partenaire, mais n'attendez pas une piste de guérison de sa part.

- **L'infirmier :** les infirmières et infirmiers libéraux (qui d'ailleurs souffrent souvent de burn-out également) ont une grande capacité d'écoute et de soins. Vous pouvez vous tourner vers eux pour une première consultation d'évaluation et l'orientation vers le professionnel adéquat.
- **L'ami bienveillant :** un, ou une amie, est bien évidemment une personne qui pourra vous aider. Évitez cependant les amis qui vous disent des choses comme : « Oh ! là là ! Pourquoi tu fais tout ça ? », et privilégiez ceux qui savent écouter, comprendre, se mettre à votre place et éprouver de l'empathie.

Une fois que vous aurez identifié le type de thérapeute par qui vous avez envie d'être accompagné, vous pourrez, si nécessaire et avec son aide, tenter de trouver une méthode qui vous aidera à dépasser cette situation d'épuisement avancé.

 ## Nos coachs chouchous testés et approuvés

→ **Barbara Nativel :** business coach, politologue de formation, Barbara Nativel est spécialiste des femmes à haut potentiel. Elle anime des séances de constellations familiales (qu'elle a contribué à populariser) et fourmille de projets efficaces et innovants pour révéler les potentiels des femmes actives – et des hommes actifs !
www.barbara-nativel.typepad.com

→ **Audrey Akoun :** coauteure avec Isabelle Pailleau du best-seller *La Pédagogie positive*, elle a aussi créé, toujours avec la psychologue Isabelle Pailleau, « La Fabrique à bonheurs ». Avec énergie et peps, Audrey Akoun sait trouver les mots à mettre sur les maux, toujours avec bienveillance.
Sur Facebook : LaFabriqueABonheurs, et www.lafabriqueabonheurs.com

→ **Anaïs Lunet :** baby-planner de profession, Anaïs Lunet a aussi créé la Fédération française de baby-planning. Elle accompagne les jeunes parents dans leur nouveau rôle : si vous vous épuisez pour des questions familiales, c'est elle qu'il faut aller voir.
www.bforbaby.fr

→ **Garance Yverneau :** entrepreneure à la tête de la structure parisienne Happy Families avec son frère Bastien (Prix Maman travaille 2013). Garance Yverneau a créé le cabinet de coaching « 5A », qui met en place des bilans de compétences, utiles pour remettre à plat ce que l'on sait faire… sans s'épuiser.
www.5aconseil.com

JOUR 17

→ **Diane Ballonat Rolland :** cette passionnée d'organisation anime des sessions de formation et de coaching dédiées à la mise en œuvre de stratégies de classement, d'ordre, dans sa maison comme dans sa vie. On la lit sur son blog « Zen et organisée ».
www.zen-et-organisee.com

→ **David Malgrain :** @Demactive sur Twitter, ce spécialiste de l'égalité professionnelle intervient aussi *via* son cabinet de conseil et de formation sur les questions de relations humaines et sociales, avec expertise et passion pour les sujets abordés.

→ **Judith Boulard :** professionnelle du shia tsu (littéralement « pression des doigts », pratique de thérapie manuelle) et de la médecine chinoise, unanimement plébiscitée pour son empathie.
www.shiatsulemans.fr

Des méthodes originales et efficaces

Il existe de nombreuses méthodes pour prévenir ou guérir l'épuisement, qui varient selon que l'on choisisse une approche médicale, psychologique, managériale... Un peu comme pour la relaxation, celle qui vous conviendra, à vous, sera la bonne. Il est parfois nécessaire d'en avoir tenté plusieurs pour aboutir à celle qui sera la plus efficace dans votre cas. C'est aussi un choix qui peut être fait avec l'éclairage de votre thérapeute.

Nous avons choisi de vous parler ici de deux méthodes qui nous paraissent toutes les deux à la fois originales et efficaces et qui ont fait leurs preuves. Elles sont méconnues du grand public mais s'attaquent aux causes profondes de certains épuisements en donnant des résultats rapidement.

La thérapie EMDR

Très peu connue en France, la thérapie EMDR traite les stigmates de traumatismes en se servant des yeux du patient. Créée à San Francisco dans les années quatre-vingt, la thérapie EMDR traite l'ESPT : l'état de stress post-traumatique, (appelé aussi SSPT ou TSPT pour syndrome de stress post-traumatique ou trouble de stress post-traumatique). L'association EMDR Europe rappelle que ses initiales viennent de son appellation anglo-saxonne : Eye-Movement Desensitization and Reprocessing (désensibilisation et retraitement par les mouvements oculaires, en français) : « Le protocole de la thérapie EMDR repose sur un ensemble de principes qui sont essentiels à une approche humaniste et intégrative de la médecine et de la santé : la confiance dans la capacité d'autoguérison propre à chacun, l'importance de l'histoire personnelle, une approche centrée sur la personne, un pouvoir restauré, l'importance du lien corps-esprit, un bien-être et une amélioration des performances. »

Concrètement, le praticien EMDR identifie d'abord ce stress dû à un événement traumatique connu ou non (accouchement difficile, deuil, accident de voiture, viol, trahison amicale, violences vues ou vécues...) et l'évalue, avant de le soigner en se servant des yeux. Il invite le patient à se concentrer sur l'événement traumatisant en exerçant des mouvements de type « hypnotiques », pour schématiser, de l'œil gauche à l'œil droit, et ainsi recoordonner les neurones du patient. Le praticien EMDR traite les stigmates des événements traumatisants comme les phobies ou les attaques de panique et donne au patient des outils très concrets à mettre en œuvre pour se « relatéraliser » et combattre avec ses propres ressources ces autoagressions épuisantes, pour schématiser. Il peut s'agir d'une forme de « mise en lieu sûr » proche de l'autohypnose ou d'autopressions alternatives de gauche à droite : se toucher les épaules, serrer puis déserrer les points... Il est à noter que l'EMDR est interdit pendant la grossesse et ne peut être pratiqué que par un praticien spécialiste.

En agissant sur les causes des angoisses, la thérapie EMDR peut mettre fin aux attaques de panique (des phénomènes épuisants pour l'organisme).

Témoignage d'Anne, 37 ans, assistante de direction

« Une série d'événements douloureux — une fausse couche puis un accouchement très difficile et mal vécu — ont fini par m'épuiser. Sept ans après, je ressassais toujours ce qui s'était mal passé, ce que j'avais mal fait, au point que j'ai fini par faire des crises d'angoisse. L'EMDR m'a permis de relier les événements entre eux et de comprendre comment se faisait le chemin neurologique pour associer, dans ma tête, différents événements entre eux. Concrètement, je devais me concentrer sur un lieu sûr dans lequel je me transportais en exerçant de simples pressions main droite, main gauche, main droite, main gauche... ce qui, rappelant les exercices EMDR gauche-droite, m'apaisait. Je n'ai plus de crise d'angoisse depuis dix-huit mois ! »

Barbara Nativel, business coach (voir p. 183), et Isabelle Constant, psychologue, animent des séances de constellations familiales à Paris. Ce joli terme qui articule psychogénéalogie et analyse transactionnelle permet de mettre en lumière des schémas de répétition nocifs et épuisants. « Certains symptômes ou souffrances existent en nous, dont nous ne définissons pas vraiment l'origine. Ces maux sont souvent l'expression d'héritages familiaux inconscients (secrets de famille, drames, exclusions...) qui ont des conséquences sur la vie des descendants. Le travail de constellation consiste à mettre en scène les difficultés prenant racine dans notre généalogie. Une représentation symbolique qui permet de vivre émotionnellement ce que l'on appelle la résolution de l'histoire familiale, qui mène vers un mieux-être et du soulagement », explique Barbara Nativel.

Concrètement, le participant expose un problème. Par exemple : « Les critiques émises sur mon travail me bouleversent à chaque fois. » L'animateur de la séance de constellations familiales guide le participant dans un espace donné (une pièce par exemple) et lui demande de placer symboliquement les personnes ou les situations sources de son bouleversement.

Un travail d'analyse se met alors en place pour trouver ce qui, dans l'histoire familiale du participant, se rejoue.

Témoignage de Georges, 42 ans, commercial

« J'étais épuisé par une relation toxique, entretenue avec ma directrice de *business unit*. Lors d'une conversation avec un ami, j'ai réalisé que j'avais déjà eu une relation compliquée avec une ancienne supérieure hiérarchique, alors qu'avec les hommes, en général, ça se passait plutôt bien. J'aurais pu me dire que le problème venait à chaque fois des femmes avec qui je bossais, mais j'ai voulu travailler aussi sur moi. »

Le conseil de Cédric

Faut-il parler de son épuisement au travail ? C'est une vraie question.

✔ Parler de son épuisement au travail est un choix délicat. Si l'on en parle, on risque de passer à côté d'une promotion par exemple, en passant pour quelqu'un de « faible » ou de « fatigué », car l'épuisement professionnel est un sujet encore méconnu ou mal compris. En revanche, en le taisant, on se risque justement à décrocher une promotion. Or, une surcharge de travail n'est pas bienvenue en période d'épuisement !

✔ Avant d'en parler, l'essentiel est de bien connaître son interlocuteur : vos collègues, vos clients, votre entourage sont-ils compréhensifs et plutôt rompus au sujet de l'épuisement ? Ou au contraire, sont-ils très méfiants à ce sujet ?

✔ Bien peser ses mots semble important lorsque l'on a décidé de parler : dire que l'on traverse une phase de creux pendant laquelle on est épuisé peut s'entendre. Mais utiliser un vocabulaire trop négatif ou trop définitif peut effrayer ses interlocuteurs et leur imprimer une vision négative durable.

✔ Une simple phrase informative sans dramatiser peut passer, du type : « J'ai beaucoup été sollicité dernièrement, j'ai besoin d'un temps de respiration afin de me remettre et d'enrayer ma fatigue. » Bien sûr, chacun l'adaptera à son interlocuteur ! En se souvenant que, légalement, rien ne vous oblige à dévoiler ce qui relève du secret médical et de votre vie privée...

Le conseil de Marlène

✔ Comme nous l'avons dit plus haut, l'épuisement est notamment la maladie de la relation aux autres. Parce que l'on ne sait pas dire non, dire stop, parce que l'on se compare... En parler autour de soi alors que l'on est en plein dedans, qu'on le vit, peut être préjudiciable car on prend le risque de n'avoir pas la patience, pas les mots...

✔ Combien de personnes épuisées « craquent » en plein burn-out, insultant leurs clients ou renversant leur bureau... Peut-être est-il préférable de consacrer d'abord du temps à la guérison, à la réparation, avant de s'exprimer sur ce mal-être. Il faut être capable d'employer les bons mots pour pouvoir être compris.

© Groupe Eyrolles

Je recharge ma batterie

✔ J'identifie un spécialiste qui pourrait m'accompagner.

✔ Je passe en revue les différentes méthodes psys ou médicales.

✔ Je réfléchis à l'opportunité d'aborder le sujet de l'épuisement au travail, ou pas.

Je m'hydrate tout au long de la journée

Après avoir réglé dans les journées précédentes les problèmes relatifs à votre vie active, votre entourage, votre environnement, vous avez certainement réussi à mettre en œuvre les conditions pour sortir de la spirale d'épuisement. Désormais, nous allons dans les jours qui suivent nous consacrer à votre corps :

- en lui donnant les moyens de lutter contre l'épuisement ;
- en rétablissant ses ressources physiologiques et physiques ;
- en consolidant des bases de santé et de bien-être permettant un éloignement durable des mécanismes du burn-out.

L'eau aide l'organisme à se débarrasser de toutes les toxines, qui risquent de stagner si l'on ne boit pas assez. Par ailleurs, les reins sont des organes fragiles qui s'abîment vite, et sur lesquels les dommages graves sont irréversibles... C'est pourquoi nous vous proposons une journée dédiée à l'eau.

Attention à la déshydratation

L'épuisement et la déshydratation vont de pair. Si l'on peut vivre en mangeant peu, l'eau reste indispensable au corps humain. Une personne déshydratée ou qui boit peu d'eau va rapidement souffrir d'un nombre important de maladies. De l'infection urinaire (cystite) à la pyélonéphrite (infection des reins) en passant par des migraines, de la constipation, les conséquences de la déshydratation peuvent être nombreuses.

Les signes de la déshydratation sont les suivants :
- bouche sèche, lèvres desséchées ;
- peau qui plisse, qui reste plissée quand on la pince ;
- sensation de soif accrue ;
- urines diminuées (3 à 4 mictions par jour en temps normal) ;
- larmes « vides » ;
- vertiges ou malaises (en cas de déshydratation sévère) ;
- une perte de poids supérieure à 5 %.

Boire de l'eau est vital et nécessaire, mais la majorité des Français vit en étant déshydraté et sans le savoir. La Haute Autorité de santé et le CREDOC ont récemment démontré que près de 60 % d'entre nous manquaient d'eau ! Or l'eau fait fonctionner l'organisme (comme l'air), on ne s'en rend pas compte tant qu'on n'en manque pas... Mais c'est elle qui fait fonctionner notre cerveau et notre corps.

Des mauvais réflexes

Les sodas et les boissons sucrées remplacent souvent la traditionnelle bouteille d'eau. En effet, lorsque l'on s'épuise, on a tendance à compenser en se jetant sur des boissons excitantes (sucres rapides, mais aussi cafés, thés, voire boissons alcoolisées ou énergisantes...) qui permettent de « tenir ». Avec ce que certains qualifient de « coup de fouet », on a en effet la sensation de se réveiller subitement et d'avoir un regain d'énergie.

Pourtant, les boissons excitantes épuisent à court, moyen et long terme ! D'abord, beaucoup sont addictives. Ensuite, elles agissent négativement sur le corps et l'esprit...

Petit passage en revue :
- Le café, le thé : la caféine, la théine énervent. S'ils améliorent temporairement le sentiment de concentration, ils agissent sur le système nerveux et créent des palpitations, des insomnies durables, des problèmes de transit intestinal, des brûlures d'estomac, des maux de tête...
- Les boissons énergisantes type Red Bull® : c'est en fait de la caféine à forte dose mélangée à de la taurine, un acide aminé présent dans la bile de bœuf (d'où son nom). Ils causent des insomnies, de l'irritabilité, des maux de tête et de la tachycardie. Le Red Bull® est interdit dans de nombreux pays.

- Les boissons alcoolisées : l'alcool crée un état second, de tristesse ou d'euphorie passagère selon. Il désinhibe et dilate les vaisseaux sanguins. Ces effets peuvent faire oublier le danger, troubler la vue, la perception de la réalité... L'alcool cause aussi des problèmes hépatiques graves, induit une dépendance et diverses maladies cardiaques.
- Les sodas : ces boissons apportent une sensation désaltérante fictive. On les consomme, il est vrai, souvent très fraîches mais le gaz qu'elles contiennent, tout comme le sucre, en font des boissons nocives pour la santé. Elles ne peuvent se substituer à l'eau qui reste un breuvage tout simplement vital pour l'organisme. Vous l'aurez compris, il ne faut pas en abuser et leur consommation doit rester épisodique. Une canette de soda non light équivaut à sept morceaux de sucre et contient, entre autres ingrédients, de l'acide phosphorique. Si vous adorez les sodas et que vous ne pouvez plus vous en passer, voici une astuce simple à appliquer : buvez toujours deux grands verres d'eau avant et deux autres après. Cela permettra de laver votre estomac. Pour en savoir plus, nous vous recommandons de lire l'ouvrage de William Reymond, *Coca-Cola, l'enquête interdite* (Pocket 2006).

Avec nos mauvaises habitudes, il arrive que l'on ne sache tout simplement plus reconnaître la sensation de soif ! Avoir envie de croquer dans un fruit bien juteux, de manger quelque chose de frais, de prendre l'air... traduit souvent tout simplement une « soif » !

Par ailleurs, certaines pratiques nécessitent de boire plus :
- après avoir fumé une cigarette ;
- après avoir bu de l'alcool (l'alcool déshydrate et donne l'illusion d'avoir bu : commandez systématiquement un verre d'eau avec vos commandes d'alcool) ;
- après avoir fait du sport.

De l'eau, rien que de l'eau

JOUR 18

L'eau, faut-il encore le rappeler, est le constituant le plus important du corps : environ 70 % en volume et jusqu'à 99 % en nombre de molécules !

Pour une bonne hydratation journalière, nous vous recommandons donc :
- de remplir une bouteille ou une carafe d'eau de 1,5 litre en début de journée ;

- de noter le nombre de verres bu (ou bien de graduer la bouteille en plastique) ;
- de regarder en fin de journée la quantité d'eau que vous avez bue.

Idéalement, il faut répartir les prises d'eau tout au long de la journée.

Mais quelle eau faut-il donc boire ? C'est un choix important. Alors pour bénéficier au mieux des propriétés de l'eau que nous buvons, on pourrait retenir comme critères de qualité, les éléments suivants[1] :
- Une eau pure, obtenue par osmose.
- Une eau de pH situé entre 6,5 et 7,2 (pas plus).
- Une eau présentée chaude ou à température voisine de 37 °C.
- Une eau dont le taux des bicarbonates est nettement supérieur à celui des sulfates et des phosphates.
- Une eau peu minéralisée pour les personnes en surpoids et un peu plus pour les personnes maigres.
- Une eau de rH2 situé entre 22 et 25, donc après élimination au moins de tout oxydant.
- Une eau abondante, autour de 30 ml/kg/jour, sous la forme d'eau pure, de soupes et de bouillons, de tisanes ou de jus d'herbes, de façon à en privilégier le goût (éviter le thé noir et le café, qui sont des diurétiques).
- Une eau reminéralisée légèrement après osmose, dont le réseau a été régénéré par contact avec des roches naturelles et magnétisée ensuite au sein d'un vortex.

Les boissons chaudes peuvent hydrater, il est vrai, mais le thé a un effet diurétique : il aide le corps à évacuer, mais ne le permet pas toujours. Par ailleurs, la consommation de thé est déconseillée aux personnes qui souffrent du foie et la consommation de boissons trop chaudes déconseillées si vous souffrez d'aigreurs d'estomac...

> *« Tout est poison, rien n'est poison. Tout est question de proportion. »*
> Claude Bernard

© Groupe Eyrolles

---

1. Avec l'aimable autorisation du site FemininBio.com

Il est préférable de boire par petites quantités, tout au long de la journée, et pas uniquement au cours du repas (ce qui peut noyer le bol alimentaire).

L'eau du robinet n'est pas potable partout : dans les salles de bains de certains hôtels, au robinet des commodités de la SNCF, aux fontaines... Boire de l'eau non potable peut causer de graves maladies. Vérifiez toujours avant d'en consommer.

Buvez-vous assez d'eau ?

• Je bois un verre d'eau (ou plus) le matin au réveil.	☐ Oui	☐ Non
• Je bois de l'eau à table.	☐ Oui	☐ Non
• Je bois régulièrement de l'eau au cours de la journée.	☐ Oui	☐ Non
• Je commande souvent une carafe d'eau avec le café ou avec le dessert, et avec les boissons alcoolisées...	☐ Oui	☐ Non
• Je n'attends pas d'avoir soif pour boire.	☐ Oui	☐ Non
• J'ai une bouteille d'eau à côté de mon lit, la nuit.	☐ Oui	☐ Non

Si vous avez répondu oui à la majorité de ces affirmations, vous avez visiblement de bonnes habitudes. Mais si ce n'est pas le cas, adoptez-les sans attendre. Vous allez vite sentir la différence.

Le conseil de Cédric

✔ **Comment penser à boire de l'eau quand on est au travail ?**
✔ **Ponctuez chaque action par une gorgée d'eau. Je passe un appel/je bois de l'eau. Je finis un dossier/je bois de l'eau. Je sors de réunion/je bois de l'eau.**
✔ **À chaque transition, boire de l'eau ! Ce réflexe s'inscrira durablement dans les neurones, et boire de l'eau deviendra instinctif.**

Le conseil de Marlène

Boire est très important quand on est une femme. Et plus particulièrement pendant les grossesses où nos besoins en eau augmentent, où notre vessie se retrouve comprimée par le bébé, et où l'on transpire plus facilement (voir *Le guide de grossesse de Maman travaille*, voir bibliographie p. 223)... La période d'allaitement demande également que la jeune maman soit très bien hydratée : c'est l'eau qu'elle boit qui contribue à « fabriquer » le lait maternel. Mais tout au long de la vie, les variations hormonales fragilisent l'équilibre intime et favorisent l'apparition de cystites, d'infections diverses... Il est alors nécessaire de boire le plus d'eau possible, pour « noyer » les bactéries et uriner sans douleur. Pour prévenir les infections urinaires à répétition, la consommation de canneberge ou cranberries est recommandée, de même que des règles d'hygiène simples : dessous propres et en coton, douche quotidienne (mais non vaginale) avec utilisation de produits sans additifs si possible, pour éviter l'acidification de la flore.

 ## Je recharge ma batterie

✔ Je limite les sodas et autres boissons hypercaloriques.
✔ Je bois de l'eau dès que possible !
✔ Je surveille ma quantité d'eau journalière.
✔ Je remplace les pauses-café par des pauses eau.

JOUR 19

Je suis ce que je mange

Après avoir bu, mangeons ! La nourriture joue un rôle primordial dans l'épuisement et dans sa prévention.

Nous avons tous déjà expérimenté le cercle vicieux de l'épuisement nutritif sous le format : je n'ai pas le courage de préparer un repas et/ou je perds l'appétit → je ne mange pas → j'ai encore moins d'énergie → je m'épuise davantage, sans ressources. Ou bien : j'ai faim et j'ai besoin d'énergie → je mange un plat tout préparé ou quelque chose de bien sucré → je digère difficilement et à la longue je manque de minéraux et de vitamines → je m'épuise encore et toujours plus.

Le bon schéma à réadopter d'urgence est le suivant : je me nourris d'aliments sains qui me font du bien → je digère facilement → je consomme l'énergie de ces aliments et stocke leurs bienfaits → j'arrête de m'épuiser !

Mais plusieurs préalables sont nécessaires pour adopter ce cercle vertueux : d'abord repérer et bannir les aliments qui ne me font pas du bien, puis adopter ceux qui vont me requinquer.

Une alimentation épuisante

On peut le dire, certains aliments sont proprement épuisants : trop gras, trop riches, trop sucrés ou trop salés, ils sont énergivores car ils entraînent des digestions difficiles.

Certains aliments contiennent même des perturbateurs endocriniens (voire sont carrément cancérigènes) qui déséquilibrent votre métabolisme sur le long terme.

Mais certains comportements alimentaires sont tout aussi nocifs que les composants de votre alimentation car il y a ce que vous mangez, et comment vous le mangez.

Mon alimentation est-elle épuisante ?

- Je mange souvent trop vite. ❑ Oui ❑ Non
- Je mange debout, au-dessus de l'évier, ou en marchant. ❑ Oui ❑ Non
- Il m'arrive de déjeuner devant mon ordinateur ou en travaillant. ❑ Oui ❑ Non
- Je mange de la viande rouge tous les jours. ❑ Oui ❑ Non
- Il m'arrive souvent d'avoir le hoquet ou des maux d'estomac après les repas. ❑ Oui ❑ Non
- J'ai souvent mal au ventre, ou des migraines après avoir mangé. ❑ Oui ❑ Non
- Je mange au fast-food une fois par semaine ou plus. ❑ Oui ❑ Non
- Je fais des déjeuners de travail plus de deux fois par semaine. ❑ Oui ❑ Non
- Je ne cuisine pas, je mange des repas industriels déjà préparés à plus de la moitié des repas. ❑ Oui ❑ Non
- Je saute parfois des repas, faute de temps. ❑ Oui ❑ Non
- Quand je stresse ou que je m'épuise, je mange. ❑ Oui ❑ Non
- La nuit quand je suis réveillé(e), je mange quelque chose. ❑ Oui ❑ Non
- Je grignote beaucoup entre les repas. ❑ Oui ❑ Non
- Je suis souvent des régimes amaigrissants. ❑ Oui ❑ Non
- Je mesure tout ce que je mange, j'ai des obsessions ou des phobies alimentaires. ❑ Oui ❑ Non
- J'ai déjà suivi un régime hyperprotéiné source de déficiences alimentaires. ❑ Oui ❑ Non
- Je n'ai pas les moyens financiers de manger équilibré. ❑ Oui ❑ Non

Si vous avez répondu oui à au moins dix de ces affirmations, c'est qu'il est grand temps de revoir, non pas seulement votre alimentation, mais vos comportements alimentaires qui participent visiblement à votre état d'épuisement.

Par ailleurs, certaines personnes connaissent des intolérances alimentaires qui peuvent être parfois à la source d'un état d'épuisement avancé.

En effet, ces dernières années, de plus en plus de personnes se sont révélées être intolérantes ou allergiques au gluten par exemple. Si pour certaines actrices, éliminer le gluten de leur alimentation relève de la coquetterie, il existe bel et bien de véritables maladies liées à son absorption ou plutôt, sa malabsorption.

L'intolérance au lactose, également, génère des maux de ventre très denses, peut causer des nausées, des migraines, des problèmes de transit intestinal. Et comme pour l'intolérance au gluten, il convient de se faire dépister.

En cas de doute, il est possible de faire un test afin de déterminer s'il y a bien une intolérance au gluten, voire une allergie totale (maladie cœliaque). Le seul traitement possible est de bannir alors totalement le gluten de son alimentation. Des marques bio, mais pas seulement (Barilla® pour les pâtes par exemple, Carrefour®), ont lancé des gammes de produits sans gluten.

 ## Des additifs alimentaires dangereux et épuisants

→ Si certains additifs sont interdits ou fortement déconseillés, d'autres sont encore utilisés qui causent entre autres des allergies. Ainsi, 42 % des confiseries testées par la direction de la Répression des fraudes dépassent les normes européennes en matière de colorants alimentaires !

→ « Parmi les plus fréquentes en France, on dénombre dix-neuf substances toxiques, mises en cause dans les insomnies ou l'hyperactivité des adolescents », explique la diététicienne Marie-Laure André dans son livre *Les additifs alimentaires* (voir bibliographie p. 223) et auteure du blog « passionnutrition. com ». On en retrouve ainsi dans les chips, les chewing-gums, les saucisses en sachet, et... les médicaments pour enfant !

→ Pour les éviter et éviter leurs effets néfastes sur l'organisme, surveillez les étiquettes de composition et évitez tous les E120, E122, E150...

À la recherche des bons aliments

Il est possible de modifier son alimentation, sans se priver et tout en continuant à se faire plaisir, en essayant de remplacer les mauvais aliments par des bons aliments – les aliments épuisants par des éléments qui requinquent.

Par exemple, je remplace :

- Les snackings (Mars®, Twix® et autres délicieuses barres chocolatées) par des barres de céréales, des fruits secs, des carrés de chocolat noir ou sans sucre, etc.
- Les chips par des fleurs de courgettes par exemple (que l'on trouve facilement en supermarché, magasin bio ou sur les marchés…).
- Les glaces par des sorbets de fruits ou de fleurs, sans crème, avec des vrais fruits ajoutés si envie.
- L'alcool par des soft-drinks (cocktails, Virgin mojito, etc.).
- Les sodas par des boissons plates (jus de pamplemousse, sirop…).
- Le sucre par un peu de miel naturel. Il faut garder en tête tout de même que le sucre est un vrai poison, encore plus difficile que les graisses à gérer pour l'organisme !

Si vous passez une journée à consommer des aliments « épuisants » (McDonald's, plats préparés, etc.), rattrapez-vous la journée suivante avec un mélange « détox » (pour éliminer les toxines) et des aliments sains pour récupérer de l'énergie !

Attention à ne pas tomber dans l'excès inverse et à s'épuiser en voulant toujours dénicher des aliments et des recettes équilibrées et parfaites ! Ce n'est pas grave si, de temps en temps, toute la famille dîne d'un bol de corn-flakes au lait ou d'une assiette de saucisses/chips ! Le tout étant d'équilibrer sur la semaine et de réajuster dès que l'on se sent moins bien.

Il est important d'être à son écoute au maximum : une envie de chocolat peut révéler une carence en magnésium, l'envie d'un fruit une soif non étanchée, etc.

Dans tous les cas, c'est peut-être le moment pour vous de consulter un naturopathe. Ce spécialiste vous aidera à faire le point sur votre santé et votre état général. Il déterminera ce qui pourra vous aider à vous rebooster pour retrouver votre tonus. Rien de tel que les médecines naturelles pour enfin retrouver votre énergie de façon naturelle et en adaptant une hygiène de vie respectueuse de votre corps et de votre rythme !

Notre Top 10 des superaliments[1] pour retrouver tonus et énergie

Acerola	Cette baie doit sa popularité à sa haute teneur en vitamine C naturelle, qui en fait un très bon antioxydant.
Açaï	Source d'omégas 6 et 9, l'açaï est riche en vitamines (C et A), en minéraux (calcium et fer) ainsi qu'en antioxydants (polyphénols, flavonoïdes et anthocyanes).
Herbe d'orge et herbe de blé	Riches en chlorophylle et gorgées de vitamines, minéraux et d'enzymes, ces herbes rééquilibrent la valeur ph de l'organisme, apportent de l'énergie, renforcent l'immunité et ont un effet détoxiquant et purificateur.
Caroube	Riche en protéines et en minéraux dont le calcium, le magnésium, le potassium, le fer et le zinc, la caroube régularise le transit grâce à sa richesse en mucilage (fibres). Elle participe également à sa régénération et agit comme un anti-inflammatoire de la muqueuse intestinale. Elle est un excellent reconstituant en cas de dénutrition ou au cours d'une convalescence.
Chlorelle	Algue d'eau douce de couleur vert vif (due à sa teneur en chlorophylle), la chlorelle est connue pour ses propriétés détoxifiantes remarquables et favorise la régénération cellulaire. Elle est un puissant détoxiquant (métaux lourds). La chlorelle est riche en phytonutriments, vitamines, minéraux et c'est une excellente source de protéines et d'acides aminés. Elle assainit les intestins, régénère et entretient la flore intestinale tout en aidant à retrouver un bon transit.
Spiruline	Cette algue d'eau salée de couleur vert bleu est un vrai trésor ! Riche en phytonutriments, vitamines, minéraux, acides gras omégas 3 et 6, c'est un concentré de protéines. Elle est une alliée pour retrouver forme et vitalité.
Griffe du chat	Cette liane est remarquable, car elle possède des propriétés qui boostent le système immunitaire grâce à ses principes actifs. Elle active le rétablissement de l'organisme après les excès des fêtes par exemple et soulage aussi les douleurs inflammatoires.
Guarana blanc	Connu comme stimulant, le guarana est une excellente source de vitamines et de minéraux. Antioxydant, il renforce les défenses naturelles et donne du dynamisme. C'est un stimulant physique et intellectuel.
Klamath	Cette petite algue bleue contient 56 minéraux et 18 acides aminés, dont l'un qui agit sur l'humeur et la sensation de bien-être. La klamath agit sur la vitalité, l'équilibre et la régénération.
Maca	Grâce à ses nombreux nutriments, le maca est le partenaire d'un organisme sain, boostant notamment les performances mentales et physiques. À consommer en cas de journée chargée pour conserver la forme.

JOUR 19

---

1. Avec l'aimable autorisation du site FeminiBio.com. Si vous êtes enceinte, que vous allaitez ou que vous avez des problèmes de santé, il convient de demander conseil à votre médecin avant de consommer tout superaliment. Certains sont à éviter dans ce cas.

Idée de menus antiépuisement

Une bonne journée de menus antiépuisement n'omet rien (protéines, légumes, féculents, graisses...), mais reste raisonnable en quantité, avec des aliments qui ne fatiguent pas à la digestion et fournissent une énergie durable.

→ Petit déjeuner : müesli aux fruits secs + lait de soja + jus de fruits 100 % pur jus

→ Déjeuner : petite assiette de crudités + viande blanche grillée (200 g) + haricots verts en grande quantité + quelques féculents au choix + un verre de jus de tomate en guise de sauce + un morceau de comté avec du pain + un dessert au choix

→ Collation : des barres de papaye séchée (en vente en supermarché) + une barre de chocolat noir

→ Dîner : un petit bol de soupe + une petite assiette de pâtes (sans gluten si intolérance) + un morceau de fromage + de la compote de pommes (allégée si besoin)

→ (Pour la boisson, voir Jour 18, p. 189)

Autre idée de menus antiépuisement

→ Petit déjeuner : thé ou café + tartines de pain avec une noix de beurre et confiture + 1/2 pamplemousse

→ Déjeuner : un sandwich inversé (beaucoup de thon, beaucoup de crudités, sauce ou beurre, 1/8 de baguette) + un dessert « plaisir » (pâtisserie, flan aux fruits, crème dessert...)

→ Collation : une pomme + une boisson chaude sucrée (thé au citron, chocolat chaud...)

→ Dîner : une omelette aux courgettes et à la feta (2 œufs par personne, 1 courgette en dés cuite à la poêle, 1/3 de paquet de feta en petits morceaux) + un peu de semoule ou de boulghour + du fromage blanc sucré ou salé + un tilleul

> « Le temps, c'est comme ton pain : gardes-en pour demain. »
>
> Serge Reggiani,
> Le Temps qui reste

Le conseil de Cédric

✔ Ne jamais faire de régime amaigrissant pendant une période d'épuisement !

✔ Deux éléments jouent sur la vie professionnelle : ce que l'on mange et quand on le mange. Trop souvent par exemple, en période de stress professionnel ou de surcharge intense de travail, on a tendance à adopter une attitude extrême : sur-nourriture (en compensation) ou sous-alimentation.

✔ Entamer un régime lorsque l'on est en alerte d'épuisement ne pourra que précipiter vers l'épuisement. Un régime drastique s'accompagne toujours d'un sentiment de fatigue – on diminue l'apport calorique et on bouleverse le comportement alimentaire habituel de son corps.

Le conseil de Marlène

✔ L'apparence, et notamment la silhouette, est l'une des premières sources de pression ressentie par les femmes d'après l'étude « Women in Society » parue dans *ELLE* fin 2014. Pourtant, comme le rappelle la pub Body Shop, seules 8 femmes au monde sont des top models... les 30 millions restant n'en sont pas ! Les régimes à outrance épuisent bien sûr l'organisme mais aussi la psyché.

✔ Parfois sans rapport direct, avec des causes très variables, les troubles du comportement alimentaires (anorexie, boulimie...) épuisent aussi de trop nombreuses femmes – et quelques hommes. Il est important de se tourner au plus vite vers une structure adaptée.

✔ Ayant été bénévole plusieurs années auprès de jeunes filles atteintes de troubles du comportement alimentaire, j'ai noté que celles qui étaient prises en charge dès l'enfance réussissaient mieux, majoritairement, à réadopter un comportement alimentaire non épuisant, en transposant moins sur d'autres palliatifs.

✔ Les TCA peuvent n'être qu'un symptôme d'un autre problème enfoui, qui s'exprime par le refus de se nourrir, les vomissements, les crises de boulimie... Ce sont des problèmes graves qu'il faut prendre au sérieux, sans négliger les carences et les séquelles physiques et mentales.

JOUR 19

Je recharge ma batterie

✔ Je supprime les aliments néfastes (additifs, colorants, excitants...).

✔ Je modifie certains comportements alimentaires et choisis des repas équilibrés et sains.

✔ J'identifie ce que je ne digère pas et étudie les pistes de l'intolérance alimentaire.

✔ Je n'oublie jamais de me faire plaisir en me nourrissant d'aliments que j'aime.

✔ Je ne me mets pas la pression en m'épuisant sur la composition des menus !

JOUR 20

Je bouge, je bouge et... je bouge !

Bouger alors que l'on est épuisé, quelle drôle d'idée ? Non, parce que rester assis tue. Au moins autant que l'alcool ou le tabac !

Concrètement, plus on passe de temps assis dans une journée, plus notre espérance de vie diminue, d'après l'Observatoire de la sédentarité.

Les trajets systématiques en voiture, les heures passées devant l'ordinateur à travailler, le manque de temps pour bouger agissent directement sur le corps et l'esprit.

Une question de survie

En juillet 2012, un jeune Taïwanais est mort d'épuisement... après être resté assis trop longtemps. Il jouait à un jeu vidéo depuis plus de quarante heures ! Comme les personnes mortes d'épuisement pour être restées réveillées et actives trop longtemps, ce joueur avait omis de manger, de boire, et de bouger.

Il ne s'agit bien sûr pas de se lancer dans un jogging de deux heures alors que l'on tombe de sommeil, ni même d'entamer du saut à la perche, mais bien de reprendre une activité saine et de générer une « bonne fatigue » : une petite marche digestive permet par exemple de faire baisser le niveau de glucose dans le sang.

Témoignage de Hans, 37 ans, remis au sport par sa femme

« Pendant des années, je me suis enfermé dans une spirale métro/boulot/marmots. Je n'avais plus de temps. J'étais épuisé, je ne voyais pas comment j'aurais pu prendre le temps d'aller faire du sport en plus ! Le soir, je rentrais à 19 heures 30, je m'occupais des enfants, et le week-end il y avait les visites chez le pédiatre du petit dernier. On se relayait avec mon épouse, j'allais faire les courses, je faisais le ménage, les papiers... Je n'avais d'ailleurs plus le temps de voir mes amis. J'étais vraiment comme un hamster dans sa roue.

Ma femme me disait tout le temps que j'étais pénible, que je râlais, elle me poussait à rencontrer des gens, me disait que je devenais inintéressant... Moi, j'en avais marre de ce rythme. Je me levais fatigué. Je traînais la journée. Nous nous sommes séparés quelques mois et quand nous nous sommes remis ensemble, c'est elle qui a exigé que je fasse du sport.

Ça a été comme un déclic. D'abord j'ai pu reprendre confiance en mes capacités, ensuite j'ai appris de nouvelles choses au tennis, ça m'a véritablement aéré l'esprit ! Cette « contrainte positive » s'est insérée dans mon emploi du temps naturellement. Sans faire d'effort, j'ai pu enfin m'endormir plus facilement le soir et vivre une émulation physique stimulante ! J'ai remarqué que le mouvement appelle d'autres mouvements : comme mon corps aime bouger, je prends automatiquement l'escalier et plus l'ascenseur, je marche plus souvent spontanément, je fais des trajets en vélo... Je recherche le bien-être et je fais plus attention à mon corps, qui est donc moins souvent douloureux. Le sport a joué un rôle très important dans ma sortie de l'épuisement. »

Dix bonnes raisons de faire du sport quand on pressent un burn-out

→ Faire bouger ses jambes, éviter l'engorgement sanguin.
→ Se réapproprier son corps, le redécouvrir.
→ Oxygéner le cerveau, éviter les migraines.
→ Se concentrer sur autre chose que sur son travail.
→ Reposer ses yeux hors des écrans.
→ Renouer des liens avec les autres, se reconnecter à autrui.
→ Réapprendre les vertus du travail en équipe (dans le cadre d'un sport d'équipe, pour retrouver le rapport confiant à l'autre qui s'effondre dans l'épuisement).
→ Envisager une saine compétition.
→ Sécréter de l'adrénaline positive, puis de l'endorphine.
→ S'endormir plus facilement après une saine fatigue physique.
→ Bonus : muscler son cœur et favoriser son système cardio-vasculaire !

Témoignage de Julia Palombe, actrice et chanteuse

« J'ai souffert d'une fracture de fatigue. »

Aujourd'hui artiste reconnue (elle a joué dans le dernier film des Inconnus et passe chez Ardisson ou dans *Libération*), la chanteuse et actrice Julia Palombe a longtemps été une danseuse. Elle se souvient d'une période d'épuisement où, à force de s'entraîner, son os a fini par fondre ! « C'était tout simplement la fatigue, l'entraînement intense. J'ai fini par comprendre simplement que ce côté de la danse très lié à la souffrance n'était pas fait pour moi. Depuis j'ai compris, grâce à l'aide d'un chorégraphe, que si tu as mal, c'est que tu n'es pas sur la bonne voie ! »

L'expérience de Julia démontre bien que seule une approche modérée, positive, du sport peut apporter un bien-être aux personnes en phase d'épuisement.

1
2
3
4
5
6
7
8
9
10
11
12
13
14
15
16
17
18
19
JOUR 20
21

Attention : dans certains cas, il n'est pas souhaitable de faire du sport sans encadrement comme lors d'une grossesse, d'arthrose, de stigmates de fractures, de maladie du cœur, de traitement lourd en cours... Demandez toujours l'avis de votre médecin avant de vous y remettre après une longue période d'arrêt.

En route vers le mouvement

Bouger seul quand on est déjà en pleine fatigue n'a rien d'une évidence ! Il est même souhaitable de se lancer avec des personnes positives, animées du même esprit :
- un groupe d'amis qui vous incitera à vous tenir à vos résolutions ;
- un coach, un prof de sport, un club de gym ;
- un médecin spécialiste du sport ;
- un ostéopathe ou un kiné qui vous conseilleront dans les mouvements à faire pour ne pas blesser votre corps.

Mais attention, s'il s'agit de bouger plus, il s'agit aussi de bouger mieux ! Courir en talons hauts entre des pots d'échappement avec des sacs de courses sur le point de craquer dans la main n'a jamais aidé personne à se remettre d'un burn-out ! À vous de trouver le contexte qui vous permet de bouger dans des conditions optimales.

Avez-vous besoin de bouger plus ?

- Vous vous garez toujours juste devant les entrées des centres commerciaux. ☐ Oui ☐ Non
- Vous avez parfois des fourmillements dans les jambes. ☐ Oui ☐ Non
- Le soir, vous êtes fatigué(e) mais vous ne réussissez pas à vous endormir. ☐ Oui ☐ Non
- Vous passez plus de 7 heures par jour en position assise (bureau, canapé...). ☐ Oui ☐ Non

Si vous avez répondu oui à toutes ces affirmations, c'est qu'il est temps pour vous de prendre les choses en main et de vous remettre à bouger.

Le sport permet au corps de sécréter des endorphines, hormones du plaisir et du bonheur. Bouger dans un contexte rigolo ou motivant (natation naturiste en piscine, danse type zumba dans des boîtes de nuit, futsal, roller derby et autres nouveaux sports innovants) permet de se concentrer sur l'aspect ludique et d'omettre la partie contraignante, si vous n'aimez pas le sport.

Nous ne vous forcerons pas à vous inscrire à un club de sport où vous n'irez jamais, mais simplement à bouger plus dans votre quotidien, pour vous détendre plus et vous épuiser moins. Alors pourquoi pas penser à :

« Je considère comme gaspillée une journée où je n'ai pas dansé. »

Friedrich Nietzsche

- mettre de la musique et danser dans son salon ;
- porter ses enfants plus régulièrement ;
- organiser des réunions à la Socrate, en déambulant, en marchant ;
- faire des exercices de yoga le soir avant de se coucher ;
- pratiquer des étirements et des assouplissements ;
- privilégier les trajet à pied dès que possible.

La marche est également un excellent moyen de se remettre « en marche », et ce pour au moins cinq bonnes raisons :

- lorsque l'on marche, le corps est à 65 % environ de sa capacité cardio-vasculaire ;
- elle aide à digérer et améliore le transit intestinal ;
- elle permet de s'aérer l'esprit et les neurones ;
- elle permet aussi de découvrir de nouveaux horizons ;
- enfin elle muscle les jambes et tonifie les veines.

 ## Réhabilitation de la sieste

En période d'épuisement, les siestes permettent de récupérer. À partir de dix à vingt minutes, une sieste donne le « petit coup de fouet » nécessaire à l'énergie d'une demi-journée d'activités. Si vous disposez de plus de temps, faire l'amour permet aussi de bouger en y prenant du plaisir. La libération d'hormones au moment de l'orgasme détend le corps et l'esprit. C'est aussi bien sûr un moment de complicité entre les partenaires...
Votre sieste peut vous faire du bien sur tous les plans !

- Les sports que j'ai déjà pratiqués : . . . .
- Le ou les sports que j'aimerais pratiquer : . . . .
- Le créneau horaire que je peux libérer pour cela : . . . .
- Ai-je consulté un médecin : . . . .
- Les personnes avec qui je ferai du sport : . . . .

Attention : chez les sportifs professionnels comme amateurs, une forme de burn-out existe aussi. On l'appelle « le syndrome de surentraînement » et il survient quand les périodes d'entraînement sont déséquilibrées par rapport aux périodes de récupération. En sport comme au travail, la récupération fait partie intégrante de l'entraînement, il ne faut pas l'omettre ! En boxe, il existe d'ailleurs un principe de base : « Pour éviter le KO, on encaisse les coups avant de les rendre. » Autrement dit, on n'enchaîne pas un deuxième entraînement avant d'avoir récupéré du premier.

Le conseil de Cédric

✓ Laissez votre cerveau tranquille, fatiguez votre corps !

✓ Souvent, l'épuisement vient d'une sursollicitation du cerveau. C'est avant tout un épuisement intellectuel, qui a pu conduire à un épuisement physique. Mais c'est en priorité le cerveau qu'il faut mettre au repos. La pratique d'un sport génère une « bonne » fatigue physique : celle qui aide à s'endormir le soir, mais aussi à récupérer plus facilement de la fatigue intellectuelle.

✓ Même si vous n'êtes pas adepte de sport, pensez à marcher au minimum vingt minutes par jour. Privilégiez si possible les promenades en forêt, à vélo, pour vous oxygéner et générer une bonne fatigue.

JOUR 20

Le conseil de Marlène

✔ La Sécurité sociale finance, une fois tous les cinq ans, un check-up complet. Utilisez-le pour vous remettre en forme sur de bonnes bases...

 ## Je recharge ma batterie

✔ Je ne reste plus une journée entière assise derrière mon écran.

✔ Je descends une station de bus avant, ou je me gare plus loin, et je marche.

✔ J'adopte une pratique modérée et positive du sport.

✔ Je bouge dès que possible même hors cadre, hors contexte (danse, ménage, mouvements, yoga, étirements...).

✔ Je décide de bouger « à plusieurs » pour me motiver et m'entraîner.

Je retrouve un sommeil de qualité

Souvent, on dit à quelqu'un d'épuisé : « Repose-toi ! Va dormir ! », comme si c'était aussi simple que cela. Effectivement, le manque de sommeil nuit profondément à la santé. Mais le sommeil de mauvaise qualité nuit tout autant !

Entendu lors d'une rencontre « Maman travaille » : « Moi, sur une échelle d'épuisement allant de 1 à 10, j'en suis au niveau… "aaarfh", autrement dit, je marche les yeux fermés, j'oublie le thé réchauffé dans le micro-ondes le matin et je sursaute quand quelqu'un prononce mon nom au travail. »

Un certain état d'ébriété

Une nuit sans dormir ou une semaine avec des nuits de quatre à cinq heures de sommeil équivaut à un taux de 0,1 % d'alcool dans le sang… À titre de comparaison, la limite autorisée pour conduire est de 0,08 % !

Quand vous êtes en manque de sommeil, vous êtes donc comme en état d'ivresse : moins vigilant, déconnecté de la réalité, moins réactif face aux menaces et aux dangers…

Le Code du travail interdit de travailler ivre. Personne ne féliciterait un enseignant d'avoir donné un cours saoul, ou une banquière d'avoir bouclé des comptes après avoir bu de la vodka…

Le travail en état d'épuisement doit donc cesser d'être une source d'admiration et doit plutôt attirer le même type de réaction que l'ivresse : un appel aux soins. Mais cette découverte scientifique induit un autre problème : l'addiction au manque de sommeil.

- Vous avez besoin d'un « accompagnement » pour vous endormir (livre, télévision…). ☐ Oui ☐ Non
- Vous dormez la lumière allumée. ☐ Oui ☐ Non
- Vous laissez votre téléphone allumé et à proximité de votre lit. ☐ Oui ☐ Non
- Quand vous dormez une nuit complète, vous vous sentez « bizarre ». ☐ Oui ☐ Non
- Si vous vous couchez plus tôt, vous vous levez aussi plus tôt (même si vous restez en carence de sommeil). ☐ Oui ☐ Non
- Vous vous trouvez plus créatif(ve) quand vous dormez moins. ☐ Oui ☐ Non
- Vous préférez « vivre la nuit ». ☐ Oui ☐ Non
- Vous vous énervez quand on vous suggère d'aller vous coucher. ☐ Oui ☐ Non

Si vous avez répondu oui plus de cinq fois, il est probable que vous soyez accro au manque de sommeil. Cet état de flottement, entre deux eaux, comparable à l'ivresse vous manque quand vous dormez « trop ». Vous pouvez consulter un professionnel, comme la Clinique du sommeil, ou un médecin spécialiste des troubles du sommeil.

En attendant, réfléchissez aux questions suivantes :
- Pensez-vous être moins efficace, moins créatif, moins bien dans votre peau quand vous êtes en pleine possession de vos moyens ?
- Que cherchez-vous à éviter dans l'état « éveillé » que vous pouvez éluder dans un demi-sommeil ?

Rappelons que la somnolence est, elle, responsable de 20 % des accidents de la route, d'après l'Institut du sommeil. Peu ou mal dormir met donc aussi les autres en danger…

Vers un sommeil de qualité

Le Dr Michael Breus, psychologue clinicien et spécialiste certifié du sommeil, relève dans une chronique du *Huffington Post*[1] que le manque de

---

1. www.medicalnewstoday.com/articles/267075.php

© Groupe Eyrolles

sommeil (moins de six heures par nuit) tout comme l'excès de sommeil (plus de dix heures par nuit) sont deux facteurs de risques de développer des maladies chroniques chez les adultes (comme le diabète ou les maladies cardiovasculaires).

Une autre étude récente parue dans la revue scientifique *Sleep Medicine* et dirigée par le Dr Avi Sadeh, à la tête d'une clinique du sommeil à Tel Aviv, a, elle, mis en parallèle « manque de sommeil » et « mauvais sommeil ». Les participants de cette étude ont dû évaluer leur sommeil, leur humeur, leur repos... après des nuits limitées à quatre heures d'une part et des nuits de huit heures interrompues quatre fois pour des périodes de dix minutes d'autre part. Le résultat est édifiant : les effets sont strictement les mêmes ! Donc un sommeil de mauvaise qualité peut favoriser, tout comme le manque de sommeil, un état d'épuisement avéré.

Avez-vous un mauvais sommeil ?

	Jamais	Une fois par semaine	Plusieurs fois par semaine
Vous vous réveillez avant votre réveil, d'un coup, en état de stress.			
Vous faites des cauchemars.			
Vous souffrez d'apnée du sommeil.			
Votre conjoint se plaint de vos mouvements.			
Le moindre bruit vous réveille.			
Dans la journée, vous somnolez parfois.			
Il vous arrive de vous sentir épuisé(e).			
Vous mettez plus d'un quart d'heure à vous endormir.			
Vous dormez moins de 6 heures par nuit.			
Vous souffrez de douleurs musculaires.			
Vous pensez à des problèmes personnels en vous endormant, et immédiatement après votre réveil.			
Vous ronflez, vos dents grincent.			
Vous vous réveillez plusieurs fois dans la nuit.			
Vous vous réveillez énervé(e), fatigué(e).			

1
2
3
4
5
6
7
8
9
10
11
12
13
14
15
16
17
18
19
20

JOUR 21

Outre le syndrome d'épuisement, le mauvais sommeil peut être révélateur de pathologies ou de maladies. Un médecin pourra vous faire passer une polysomnographie (électrodes reliées à un appareil spécial mesurant votre respiration, mais aussi vos activités musculaires et cérébrales). Ces indications factuelles sont précieuses pour l'établissement d'un diagnostic éventuel.

Pour résumer, une bonne nuit, c'est :
- 6 à 8 heures de sommeil ;
- sans interruption ;
- sans agitation.

Vaste programme !

Alors comment passer des nuits reposantes et retrouver un sommeil de qualité ? C'est à la fois très simple et très compliqué. Bien évidemment sans dormir, on ne se remet pas de l'épuisement. Mais rien ne sert de s'allonger, il faut partir à point !

Si vous avez bien suivi ce programme, vous vous êtes débarrassé de tout ce qui vous causait des troubles du sommeil :
- nourriture inadaptée ;
- déshydratation ;
- cauchemars ;
- rapport complexe au travail ;
- pollution environnementale ;
- personnes toxiques ;
- consommation excessive des nouvelles technologies, etc.

Il va donc être plus facile pour vous de vous reposer et de trouver le sommeil. Disons moins difficile, en tout cas ! Reportez-vous à l'encadré ci-dessous et intégrez à votre quotidien les 15 règles de base pour un sommeil réparateur.

> *« La nuit ne porte pas conseil. C'est la nuit qui décide. »*

Vous avez dû aussi, depuis la fin de la première semaine, rallonger vos nuits de 21 minutes (voir p. 80).

15 règles de base pour retrouver un sommeil réparateur

1. Une pièce calme.
2. Un lit consacré uniquement au sommeil ou aux activités calmes (lecture, câlins…) pour que le cerveau assimile bien lit = dormir.
3. Des draps propres.
4. Une literie adaptée (pas trop petite).
5. Un matelas de moins de dix ans.
6. Une température modérée (20 °C dans l'idéal).
7. Un air renouvelé (aérer trente minutes dans les trois heures qui précèdent le coucher).
8. Un repas léger, mais un repas quand même !
9. Un démaquillage, une toilette faite (si une douche ou un bain, pas trop chaud car cela énergiserait le corps).
10. Une tenue de nuit confortable (nu, en pyjama, nuisette…).
11. Pas d'écran dans la demi-heure qui précède le coucher.
12. Pas d'ondes Wi-Fi dans la pièce.
13. Pas de télévision en veille ou d'appareils en veille dans la pièce.
14. Des problèmes évacués, pas gardés pour soi (évitez de vous disputer ou d'entrer en conflit avant de vous coucher).
15. Un rituel de coucher.

Le conseil de Cédric

✔ Fermez les yeux ! Dormir est évidemment le meilleur moyen de se reposer. Mais pour prévenir l'épuisement, il suffit parfois de fermer simplement les yeux. Garder les yeux ouverts sollicite en effet des centaines de réactions neurologiques simultanées : percevoir des couleurs, des gens, des objets, des images, les analyser… Particulièrement lorsque l'on travaille devant un écran, fermer les yeux est nécessaire. Tout simplement, on ferme les yeux pour se relaxer, et on compte doucement : 1, 2, 3, 4…, en tentant de visualiser un métronome imaginaire.

…/…

✓ La méthode des sous-mariniers reste tout de même la plus efficace. Ils doivent en effet dormir à heure fixe, lors de cycles précis. Pour réussir à s'endormir vite sans penser, ils appliquent la méthode dite des quarts :

- inspirez en comptant jusqu'à 4 ;
- bloquez en comptant jusqu'à 4 ;
- expirez en comptant jusqu'à 4 ;
- bloquez en comptant jusqu'à 4 ;

Et recommencez...

Le conseil de Marlène

Une étude de la CEGOS parue en novembre 2014 affirme que 26 % des personnes qui travaillent ont déjà vécu un épisode apparenté à un burn-out ou à une dépression. Aucune catégorie socio-professionnelle n'est épargnée. On en parlait plus haut, les parents au foyer sont touchés, tout comme les employés pressurisés. Mais les managers ne s'en sortent pas mieux, pour des raisons différentes : l'Observatoire de la santé des dirigeants de PME évalue les suicides d'entrepreneurs et de patrons à 1 à 2 par jour, en moyenne, en France. L'insomnie, la difficulté à s'endormir est même le thème d'un des tubes du chanteur Stromae qui fait reprendre en chœur à des salles entières : « Tu as tout mais tu n'as pas sommeil... » dans sa chanson intitulée *Sommeil*. Comprendre que c'est un problème de société et non un problème lié à une défaillance individuelle est un premier pas.

Mais au-delà des considérations existentielles autour des angoisses ou du rythme qui nous gardent éveillés, chaque personne a son propre rythme biologique de sommeil : se coucher à 21 heures pour se retourner sans fin dans son lit, quand notre corps voudrait s'endormir à minuit, abîme notre rythme biologique. Si vous n'arrivez pas à vous endormir, faites le test un jour où vous n'avez pas d'obligation, ne vous couchez que quand vous avez réellement sommeil. C'est peut-être l'heure qui correspond à votre rythme biologique.

Si vous avez un bébé qui ne fait pas ses nuits ou un enfant en bas âge qui a des terreurs nocturnes, sur une échelle de 1 à 10 de l'épuisement, vous en êtes sans doute à « Oh mon Dieu quand est-ce que ça va s'arrêter ?! ». Rassurez-vous, ça s'arrête à un moment... Quand ils deviennent adolescents et refusent de sortir du lit avant midi !

Je recharge ma batterie

✔ Je prends conscience de mon addiction au manque de sommeil.

✔ Je vise des nuits de 6 à 8 heures de sommeil.

✔ Je ne me mets pas de pression inutile pour l'endormissement.

✔ Je dors 21 minutes de plus que d'habitude.

Bilan Semaine 3

Et voilà ! Vous avez réussi à boucler cette troisième semaine sans encombre. Il n'a certainement pas été si facile de faire le point sur votre entourage et de renouer avec des principes de base de vitalité et de bonne santé, mais vous tenez désormais les bonnes solutions au creux de votre main. C'est à vous de les appliquer avec régularité et projection pour ne pas vous laisser prendre à nouveau dans la mauvaise spirale d'un quotidien épuisant.

Faites le bilan de votre troisième semaine en cochant les cases dans le tableau ci-dessous. Et une fois encore, n'oubliez pas le rituel de la batterie à la fin du livre pour évaluer votre niveau d'énergie.

Acquis	Oui	Non
Je ne cherche plus la perfection, je mise uniquement sur mes compétences avérées.		
Je fuis les comportements toxiques et deviens une personne ressource pour mes proches.		
Je choisis le professionnel compétent qui me convient pour m'accompagner dans mon chemin de reconstruction.		
J'arrête de boire n'importe quoi et je me mets à l'eau !		
Je reviens vers des habitudes alimentaires plus saines et plus énergisantes.		
Je reprends contact avec mon corps et retrouve ma vitalité en bougeant au quotidien.		
Je mets toutes les chances de mon côté pour retrouver un sommeil de qualité.		

Nous vous encourageons à reprendre maintenant, tout au long du livre, les cinq mantras ou citations qui vous ont parlé. Les redire, vous les approprier ne pourra que fixer davantage le changement qui est en train de s'opérer dans votre quotidien.

1. ....

2. ....

3. ....

4. ....

5. ....

Voici par ailleurs quelques règles à maintenir au quotidien pour ne plus recommencer à vous épuiser. Découpez-les et affichez-les, ou mettez-les en fond d'écran :
- Je réponds à mes propres besoins physiologiques.
- Je me fixe une heure de fin de travail, la nuit y compris en période chargée.
- Je passe au moins un repas par jour assis, à table.
- Je bois de l'eau tout au long de la journée.
- Je m'étire, je considère mon corps comme un bien précieux et irremplaçable.
- Je garde un rituel de coucher bien spécifique (exemple : démaquillage, lecture, endormissement).
- Je me demande chaque jour ce que j'ai fait pour me sentir bien, et ce que j'ai fait pour faire en sorte que les autres se sentent bien.
- Je visualise et je colorie ma batterie…

Conclusion

« Nous sommes dirigés par des hommes épuisés... et c'est dangereux. Il faut réhabiliter les temps de repos. » Cette analyse n'est pas livrée par un altermondialiste décroissant notoire, mais par Michel Rocard, dans l'émission « Le Supplément » de Canal +.

La lutte contre l'épuisement est une idée qui fait doucement son chemin dans toutes les strates de la société. Au moment où nous achevons cet ouvrage, des professionnels et des syndicats lancent un appel conjoint pour la reconnaissance du burn-out comme maladie professionnelle. Le site www.appel-burnout.fr réunit près de 10 000 signatures et annonce que plus de 83 000 personnes y ont passé le test « Quel est votre niveau de burn-out ? » La prise de conscience avance...

En vous proposant le programme « J'arrête de m'épuiser ! », nous espérons vous avoir permis de réfléchir et d'agir sur les facteurs individuels de l'épuisement. Bien sûr, les mécanismes extérieurs doivent aussi être pris en compte. Une loi pour la reconnaissance de l'épuisement comme maladie professionnelle devrait être un premier pas dans la généralisation des soins médicaux, et une incitation aux employeurs pour une meilleure prévention du burn-out.

Mais les travailleurs indépendants, les agriculteurs, les chefs d'entreprise, les parents au foyer ou les aidants familiaux en resteraient exclus... Trop souvent, la conciliation vie professionnelle/vie personnelle mène à un cercle vicieux épuisant. Nous espérons avoir pu vous donner quelques clés pour ouvrir la porte et avancer vers un équilibre serein... pour arrêter de vous épuiser ☺ .

Bibliographie

Stéphanie Allenou, *Mère épuisée*, Marabout, 2012.

Marie-Laure André, *Les additifs alimentaires. Un danger méconnu*, Éditions Jouvence, 2013

Christophe André, François Lelord, *L'estime de soi. S'aimer pour mieux vivre avec les autres*, Odile Jacob, 2008

Marie-Françoise et Emmanuel Ballet de Coquereaumont, *J'arrête d'avoir peur ! 21 jours pour renouer avec son enfant intérieur*, Eyrolles, 2014

Brené Brown, *La force de l'imperfection*, Quotidien Malin, 2014

Thierry Crouzet, *J'ai débranché : comment revivre sans Internet après une overdose*, Fayard, 2012

Marine Deffrennes, *Elles ont réussi dans le digital*, Kawa, 2014

Cécile Dejoux, *Gestion des compétences et GPEC*, Dunod, 2013

Michel Delbrouck, *Comment traiter le burn-out ? Principes de prise en charge du syndrome d'épuisement professionnel*, De Boeck, 2011

Anna Ghione, *Moi, homophobe ! Le jour où mon fils m'a révélé son homosexualité,* Michalon, 2013

Marie Haddou, *Avoir confiance en soi*, Flammarion, 2000

Claude Halmos, *Est-ce ainsi que les hommes vivent ? Faire face à la crise et résister*, Fayard, 2014

Henri Kaufmann, *Tout savoir sur... la sérendipité*, Éditions Kawa, 2012

Christine Lewicki et Florence Leroy, *J'arrête de râler sur mes enfants (et mon conjoint),* Eyrolles, 2013

Carole Michelon et Emmanuelle Gagliardi, *Guide des réseaux au féminin,* Eyrolles, 2013

Marie Minelli, *Sexe, mensonges et banlieues chaudes*, La Musardine Éditions, 2014

Marie Muzard, *Very bad buzz*, Eyrolles, 2015.

Isabelle Nazare-Aga, *Les manipulateurs sont parmi nous,* Les Éditions de l'Homme, 2013

Tatiana de Rosnay, *La mémoire des murs*, Livre de poche, 2010

Miguel Angel Ruiz, *Les quatre accords toltèques*, Jouvence, 2005

Marlène Schiappa, *Le guide de grossesse de Maman travaille*, Quotidien malin, 2014

Marlène Schiappa, *Les 200 astuces de Maman travaille*, Leduc.s éditions, 2013

Dominique-France Tayebaly, *Pour en finir avec les pervers narcissiques*, Bréal, 2012

Bronnie Ware, *Les 5 regrets des personnes en fin de vie*, Guy Trédaniel Éditeur, 2013

Sitographie

Le blog « Maman travaille », de Marlène, pour des formations et des rencontres dédiées à la prévention de l'épuisement et à la conciliation vie professionnelle/vie personnelle, et l'actualité du réseau : yahoo.mamantravaille.fr

La Fabrique à bonheurs, pour suivre les infos et actualités, séminaires, ateliers... de la Fabrique : www.lafabriqueabonheurs.com

Le site belge « Se sentir bien au travail » propose un test à faire en ligne et des clips vidéo réalisés dans le cadre d'une campagne contre le burn-out, qui démontrent que le burn-out peut avoir des conséquences dramatiques sur la vie de famille, notamment : www.sesentirbienautravail.be

Le site QVAT.fr consacré intégralement à la qualité de vie au travail, propose des pistes de réflexion intéressantes aussi.

Marie-Laure André, diététicienne, anime son blog : passionnutrition.com

Pour toutes les infos sur la nutrition, le bien-être, le développement personnel... mais aussi les conseils d'experts et les chroniques : Femininbio.com

Le blog d'Yves Deloison sur les changements de vie, avec notamment des témoignages post-burn-out : toutpourchanger.com

« Le jour où j'ai dit ta gueule à mon fils de trois semaines », témoignage autour du burn-out maternel : tchip.wordpress.com/2012/05/31/le-jour-ou-jai-dit-ta-gueule-a-mon-fils-de-trois-semaines

La collection qui tient ses promesses !

J'ARRÊTE D'AVOIR PEUR !

MARIE-FRANCE ET EMMANUEL
BALLET de COQUEREAUMONT

21 jours
*POUR CHANGER

OLLES

J'ARRÊTE DE RÂLER
SUR MES ENFANTS
[et mon conjoint]

CHRISTINE LEWICKI
FLORENCE LEROY

21 jours
*POUR CHANGER

RESPECT
BIENVEILLANCE
PLAISIR
COOPÉRATION

EYROLLES

Collection dirigée par ANNE GHESQUIÈRE

J'ARRÊTE
MARION KAPLAN
LA MALBOUFFE !

21 jours
POUR CHANGER

EYROLLES

Collection dirigée par ANNE GHESQUIÈRE

J'ARRÊTE LE
JOANNE TATHAM
SUPERFLU !

21 jours
POUR CHANGER

EYROLLES

✎ Communication aux auteurs

Pour écrire aux auteurs et partager vos témoignages, nous vous invitons à poster un commentaire sur mamantravaille@yahoo.fr ou sur http://yahoo.mamantravaille.fr.

La batterie qui se trouve sur le rabat de cet ouvrage vous permet de dessiner votre batterie à tout moment du programme et de la remplir pour visualiser votre niveau d'énergie. Pour cela, glissez une feuille blanche sous le rabat : il ne vous restera plus qu'à la colorier jusqu'au niveau qui vous correspond. Alors, à vos crayons !

Dépôt légal : août 2016
IMPRIMÉ EN FRANCE

Achevé d'imprimer en juillet 2016 sur les presses de l'imprimerie *La Source d'Or*
63039 Clermont-Ferrand - Imprimeur n° 13484

Dans le cadre de sa politique de développement durable, La Source d'Or a été référencée IMPRIM'VERT® par son organisme consulaire de tutelle.
Cet ouvrage est imprimé - pour l'intérieur - sur papier offset 90 g provenant de la gestion durable des forêts, produit par des papetiers dont les usines ont obtenu les certifications environnementales ISO 14001 et E.M.A.S.